心がスーッとなる ブッダの言葉

アルボムッレ・スマナサーラ

はじめに

「みんな言っていたほど、鬼は黒くなかった」ということわざが、故郷スリランカの子どもたちのあいだでよく使われます。ことわざならすぐ理解できるはずですが、これは意味が何だかわからない言葉です。

物事について、あまりにも複雑な議論や反論を積み重ねていく過程で、結局はみんなのやる気が失われて、実行する勇気が出てこなくなることがあります。さまざまな問題について、長い日にちを浪費して重箱の隅をつつくような議論をしたあげく、疲れ果てて終わることは、世の中によくある現象ですね。お釈迦様は、そんな状況を乾季の時に起こる雷にたとえます。「雷は怖いほど音を立てて落ちるが、雨は一滴も降らない」。スリランカの人々は、議論があまり膨らみすぎて、やる気と自信がなくなると、「みんな言っていたほど、鬼は黒くない」と言うのです。それはつまり、「実行してみれば、何のことなくスムースに成功するのだ」という意味です。

それなら、「鬼は黒くない」より、「怖くない」が正しいんじゃないかと思われるでしょう。子どもたちに鬼の昔話をする時は、できるだけ怖い鬼のイメージを作るために、鬼の姿を説明します。牙があること、子どもならピーナッツ一粒のような感じで軽く飲み込めるくらいに口が大きいこと、子どもが二十人くらい軽く食べられるでっかいお腹のことなどを説明して、最後のオチとして、「鬼は炭よりも黒い」と言うのです。その黒い奴が出てくるのは、悪いことに夜なのです。そばにいても、見えるはずがない。だから、「黒い」は極限の恐怖を意味しています。

私は、皆様に「鬼は思っていたほど黒くない」と理解していただく目的で、この本づくりに着手したわけです。

巷《ちまた》では、よく仏教について語られます。誰もが仏教ならすべて知り尽しているかのように語っている。あるいは反対に、「われわれ現代人は、現代的で論理的な思考以外、仏教などの東洋の思想はぜんぜんわからない」と無知自慢をして、見栄を張ろうとする。私の感想ですが、あまりにもうるさく仏教について語る人々は優れた知識人ではあるけれど、知らないことはたった一つ、仏教なのです。現代的な知識人だと見栄を張る方々も、他の全部はよいのですが、たった一つだけ欠点があります。現代的な知識人として議論する能力に乏しいことなのです。それで結果としてわれわれ一般人は、右も左も分からなくなって、人生という道で迷子になってしまうのです。

仏教は、皆様が思っているような「宗教」ではありません。迷信も信仰もないのです。二五五〇年前に説かれたからといって、科学的知識がなかった昔の人々の思考ではない。ギリシャ神話の世界観でも、ソクラテスのような初期時代の哲学でもない。人類の黎明期から、盲目的に実在すると信じられていた神の話でもない。権力者の後ろ盾になって、庶民を搾取する目的で人々を脅かして束縛する話でもない。現代科学の火種も現れていなかった時代に、世界に発表された教えですが、ひとかけらも現代科学と一致しないところも、間違ったところもない。神を否定しますが、現代人のように唯物論にはならない。永遠の魂など実在しないといっても、虚無主義には陥らない。

では仏教とは、いったい何なのでしょうか。この本では、お釈迦様が、今まで皆様が想像してきたイメージとは違う教えを説いたことを紹介したいと思ったのです。

仏教は、昔の人々の生き方を改良するために役に立ちました。そして仏教は、現代人の生き方も正す力を持っているのです。これから現れる人々も抱くであろう、「どう生きればよいのか？」という疑問に対する答えを持っているのです。真理・事実に、時代は関係ありません。お釈迦様が説かれたのは、その真理です。

現代に生きるわれわれのさまざまな問題について、お釈迦様の観点から見るとどんな答えが出るのか、やさしく解き明かしてみました。おやすみ前に、好きなページをめくってみてください。

◉目次

第2章 よりよく生きる

第3章　人のつながり

第4章　働くということ

第5章　幸せへの道

第1章

「悩み」の核心

第一夜

すべての悩みの原因は自分の〝心〟にある

今から二五五〇年前、人間のすべての苦悩の原因を徹底的に解明し、解決策を提示したのが、お釈迦様です。

その教え（初期仏教）を忠実に伝えてきたのが、テーラワーダです。

みなさんは、仏教というと、どんなイメージをお持ちでしょうか？

日本人の自宅の多くには仏壇が備えられ、年末年始には各地のお寺が参拝者でにぎわい、お盆にはお墓参りをします。お祭りも、お寺に由来するものが圧倒的ですね。

日本にはいろいろな宗教が入ってきていますが、日本は基本的には仏教国といっていいと思います。

仏教は今から二五五〇年前のインドで、お釈迦様によって開かれました。その後時代の流れとともに、さまざまな流派に分かれて全世界に伝わりましたが、中国、チベット、朝鮮半島や日本には、お釈迦様の死後数百年経ってから成立した北伝仏教（大乗仏教）が伝わりました。

これに対して私の母国であるスリランカ、タイ、ミャンマーなどに伝わった仏教を、テーラワーダ仏教といいます（南伝仏教、上座仏教などの呼び方があります）。「テーラ」はお釈迦様の時代に使われていた古代インドの言葉、パーリ語で「長老」、「ワーダ」は「教え」という意味です。

日本の仏教もテーラワーダ仏教も、同じ仏教ですからもちろん共通点も多いのですが、違うところもあります。テーラワーダ仏教では、お釈迦様の時代から完全に近い形で残されてきたパーリ語の経典を元にしています。これに対して日本の仏教は、ほとんどが大乗経典（法華経、般若心経など）に基づいています。大乗経典はお釈迦様の死後かなりたってから編纂《へんさん》され、さらに中国、朝鮮半島での翻訳を経て日本に輸入されたので、お釈迦様の元々のアイデアが、うまく伝わっていない部分があります。日本で仏教の話というと、何やらわかりにくいもの、複雑なものというイメージがあるのではないでしょうか。

本来のお釈迦様の教えは、きわめてシンプルかつ論理的で、誰もが目にし、手に取れる具体的な事実をベースに、誰もが実践できる幸せへの道を説いたものなのです。

この本でお話しすることも、お読みいただければおわかりのように、とても合理的、科学的で、曖昧なところや難しいところはまったくないと思います。

この本はどこから読んでも、どこまで読んでもかまいません。そして一部でもいいから、書いてあることを心に留めて、実践してみてください。そうすればすぐにでも効果が現れると思います。

❖なぜ、人は悩むのか

私たちは、この世に生を受けてからというもの、常に悩みごとに見舞われています。物心のついた子どものころから、お小遣いが少ないとか、もっとおもちゃが欲しい、学校の成績が悪く勉強が好きになれない……などと悩みはじめます。また大人になっても器量が悪い、恋人ができない、仕事がうまくいかない、給料が低い、好きな人に気に入ってもらえない、裕福な暮らしができない、病気ばかりしている、夫婦の相性が悪い、友達がいない、老後が寂しい……何とまあ、人間の一生というものは悩みごとや苦しみの連続であることか！

人間は毎日、毎日こうして不平、不満をくり返すのです。

なぜ、人は悩むのでしょうか。

それは、人間の心が病んでいるからなのです。病気なのです。心の問題といいますと、私たちはすぐ精神的問題を想起しますが、それは医学の領域で、ここでいう心の問題とは、心の苦しみ、悩み、悲しみ、怒りなど、通俗的な表現で言えば〝感情〟と言っているものです。感情ですから、満足感、愛情、興奮なども当然含まれます。

ちょっと思いつくだけでも挙げてみましょうか。貪欲《どんよく》、怒り、無知、嫉妬、恨み、不満、不安、恐怖、無気力、怠惰、ストレス、退屈、苛立ち、葛藤、不愉快、羞恥、高慢、失望、劣等感、頑迷、被害妄想、誇大妄想、躁鬱《そううつ》、緊張、野望、不信、後悔、罪悪感……どうですか、みなどれも自分を苦しめた感情として覚えがあるでしょう。

お釈迦様は、この心の病に対して「心の汚れ」という意味の「煩悩《ぼんのう》」という用語を用いられました。

仏教では、この「煩悩」にはなんと千五百もの種類があるといっています。「汚れ」が心の病をつくるとすれば、千五百の「汚れ」の組み合わせによって心の病は相当な数になります。

「身体の病に悩まされない人はいますが、心の病気に悩まされない人はこの世にひとりもいません」とお釈迦様はおっしゃいました。それだけに「心の汚れ」の問題はこの世を生きる人間の最大重要事で、心がどんなふうにして「煩悩」という細菌に冒《おか》されていくのかを考察することも大切です。

汚れはどこで発生し、どこからあなたのなかへと入りこむのでしょうか。

身体の病の場合は外部からも内部からも原因が発生しますが、心の汚れはあなたの内部、心のなかで発生する以外に原因はあり得ないのです。一例を挙げましょう。

みなさんの前に宝石を置いたとしましょう。どう思うでしょう。多分、「わあ、きれいね」「ああ、欲しいな」「高価で手が届かないわ」「ずいぶん高そう。一つあったらお金持ちになれるのに」「こんなもののどこがいいのか全然わからない」「フン、宝石なんて関心ないよ」「盗まれないように注意しなくては駄目だぞ」……。

視覚という感覚器官がみなさんにもたらした情報から、みなさんのそれぞれの心が判断した感想というものはだいたいこんなところでしょうか。しかし、これだけさまざまな感情をもたらしたにも係わらず、宝石という物体そのものには何らの意思がありません。感想はみなさんのそれぞれの心の判断によるものだったのです。

こうした事実に対して、お釈迦様はこう説かれます。

「煩悩は外に存在する諸々の対象ではなく、人の心のなかにある概念＝想念（パーリ語でサンカッパ）です。外に存在する美しいものは〝欲〟ではありません」。

心に入る情報をありのままの姿として促えて概念＝想念にふりまわされない

ようにすることができれば、それが心の健康の唯一の治療法です。**悩みはすべて自分の心が作り出している**と知ること。自分の心をよく観察して、間違った想念を取り除くこと。

この本ではそのためのアイデアをいろいろ紹介しています。ぜひ役立ててください。

第二夜

認識は妄想に満ちている

妄想とは、現実をありのままには認識しないで、
自分の好みで、主観で認識することです。
頭の中で概念だけが回転する状態です。

仏教が理性を重んじるのに対し、捨て去るべきものととらえているのが妄想です。これを邪見《じゃけん》ともいいます。

妄想というのは、現実をありのままに認識しないで、自分の好みで、主観で認識することです。自我も妄想です。妄想から感情が生まれるわけです。「生きている」とは「知る」ことなのですが、正しく知ることだけはしないのです。すべて主観で知ろうとする。主観で知ったことについて考えることは、論理的思考ではなく、妄想になるのです。

主観で物事を知ると、「自分が知っている」という気持ちに陥ります。しかし、自分という主体は、実際はないのです。妄想すればするほど、自分という気持ちも強くなっていきます。自分が、「自我」になってしまうのです。「自我」も妄想の結果にすぎないのに、主観で物事を知る人は、「自我とは実在する本物である」という幻覚を持ってしまう。

自我の幻覚を「実在する本物」と思いこむようになったら、鬱《うつ》病を含め、すべての精神的な病気をつくりだす原因になるのです。自分に自信がないとか、みんなが自分のことを嫌っているとか、不安でたまらないとか、恐怖にさいなまれるとか、神の声が聞こえるとか、心の病はたくさんあります。自我意識と妄想が原因です。

妄想で脳が壊れる、時間を浪費する、精神エネルギーをムダにする。現実的に生きることができなくなるのですね。ストレスも妄想の結果です。仕事のしすぎでストレスがたまるとよくいわれますが、あれは違います。妄想しているから、ストレスがたまるのです。ストレスが多いということは、妄想が多いという証拠です。

知ることは、「正知《しょうち》」「誤知《ごち》」という二つに分けられます。

正知とは、ありのままを知ることです。誤知とは、あってほしいままに（主観で）知ることです。自分が知りたいことだけを都合よく知ろうとすることです。仏教とは、誤知を正知に変えるプロセスといえます。そのためには、修行をして完全に妄想を破らないといけません。

誤知に基づいて考えるものはすべて妄想です。

わかりやすい例でいいますと、お釈迦様は「あらゆる現象は無常だ」「世の中で変わらないものは何一つない」と教えています。しかし、人間は「無常ではない」「永遠に変わらない何かを自分が得られる」と妄想し続けるのです。そういった妄想には、何の証拠もありません。妄想する人は、根拠のない変な観念にとりつかれて、それに固執してしまうのです。妄想するとエネルギーがなくなるだけで、いつまでも正しい結論には至らない。ただムダに生命力を浪費してしまいます。

しかしその証拠はありません。だから妄想の場合は、根拠のない変な結論に達します。妄想するとエネルギーがなくなるだけで、正しい結論には至らない。だからムダに生命力を浪費してしまうのです。

妄想とは、とにかく概念を回転させることです。結論はありません。だから、ノンストップで流れるものです。一方、思考とは、データがあって論理的に客観的に考えることです。結論があるのです。結論に達したところで、思考は終了するのです。これが妄想と思考の違いです。

思考は何かの役に立ちます。しかし、妄想は何の役にも立たず生命力をムダにして、感情を引き起こして、挙げ句の果てに、精神的な病気に陥らせてしまうのです。

ですから、**妄想はとても危険なもの**だと覚えておいてください。もちろん誰でも、妄想にとりつかれていると言えます。しかし、病状が深刻になる前に、主観的な見方を捨てる訓練をすれば、正しくものが見られるようになる。みるみるうちに元気になれます。無知が消えて、理性と智慧《ちえ》が現れます。そのごほうびとして、生きる苦しみが、幸福に変わるのです。

第三夜

「わたし」はただの錯覚である

「わたし」という妄想観念に取り憑かれると、
「わたし」の生みだす間違った認識に
ふりまわされてしまいます。

仏教では「わたし」などない、と考えます。
難しい言葉でいうと「自我」ですね。自我というのは錯覚なのです。わかりやすくいうとこういうことです。

誰かの歌声が聞こえてきたとしましょう。Aさんはそれを「美しい」と感じ、Bさんは「美しくない」と感じました。AさんがBさんの感想を聞くと、自分がバカにされたと思ってものすごく腹を立てるのです。あるいは、自分の感覚を否定されたようでショックを受ける。

でもそうじゃないんですね。単にBさんにはその声が美しく聞こえなかっただけであって、Aさんを否定したわけではない。ところが人間というのは、自分の意見に相手が逆らうと気分が悪くなる。それが自我（エゴ）です。

このように、人はある現象に出合ったとき、かならず「わたしが感じた」「わたしが思った」というように「わたし」を主語として感覚をまとめてしまうのです。例えば、お腹をこわしたとします。その場合、「お腹をこわした」とはいわないで「わたしはお腹が痛い」「わたしは病気だ」という。これらはすべて「わたし」の主観です。自分が感じたものを真理だと思ってしまうのが自我という錯覚であり幻覚なのです。

西洋哲学に「我思うゆえに我あり」ということばがあります。

これは仏教からみれば、間違った思考といえます。

つまり、「わたしが思う、だから、わたしがいる」というのは、「わたしが思う、だから、わたしは正しい」という態度でもあるからです。「我思う」というのはわたしが感じたことを概念化することです。

ここから煩悩にとらわれて真理が理解できない状態、仏教の言葉でいう「無知」がはじまるのです（「無知」については後でもう一度説明します）。

ですから仏教では、「自我という錯覚を破る」といういい方をします。

そもそも自我は存在しないのですから、自我を破るのではなく、自我という「錯覚」を破るのです。

自我の錯覚にしがみついている無知な人は、自分の殻の中にとじこもって、主観の生み出した概念に永遠にふりまわされてしまうのです。

❖「わたし」をよく見てみる

わかりにくいかもしれないので、別の角度からお話ししてみましょう。「諸行無常《しょぎょうむじょう》」という言葉をご存知ですね。日本では、枯れ葉が落ちていく様子とか、ちょっとロマンチックな含みで使われますが、本来はもっと科学的なことを意味しています。諸行無常の「行」はパーリ語で「サンカーラ」といい、現代日本語に訳すと「現象」という意味になります。

「諸行無常」とは、「すべての物事は、瞬時に変化する一時的なものです。変化しない本来の姿というものはなく、いつでもできて、またいつでも壊れるものです」という意味です。

例えば、映画館で映画を観たとしますね。スクリーンに映る光が点滅しているのを見ると、われわれはそこに映像を認識することができます。俳優さんが右から左へ動いたり、飛行機や船が上下したりします。

けれどもそれは、あくまでもそう見えるだけであって、実際に起きているのは、スクリーン上をいろんな光が点滅しているということだけです。本当はそこには俳優も飛行機もないのです。

「わたし」というのも、もちろん無常です。すべてのものがそうなのです。これは見た目だけではなくて、物理的にもそうです。十年前、二十年前の自分の細胞は、全部死んでいます。考えも、変わっています。わたしは二十年前にスリランカから来日しましたが、スリランカに住んでいたわたしは、きれいさっぱりなくなってしまいました。

それなのにスリランカから来た人たちは、「スリランカで生まれたのだから、同国人でしょう。お金を貸してくださいよ」などと言ってきたりします。「変わらないわたし」「一定のわたし」がまだあると思っているのです。スリランカで生まれたわたしの細胞は、一つも残っていないし、考えも変わってしまっているというのに。細胞はいまこの瞬間にも死に続けています。

「変わらないわたし」「一定のわたし」というのが、つまり「自我」です。「アイデンティティ」「自分」「エゴ」と言い換えてもいい。西洋の哲学では、自我を前提に思考を組み立てますが、事実として、それは間違っているのです。

「わたしがいる」というのは、蜃気楼のようなものなのです。砂漠の中で蜃気楼を見て、「あれは湖だ」と錯覚すると、のどが渇いた旅行者は、その湖に向かって歩きます。しかし、結局それは幻想なので、たどりつけないのです。「わたし」というものが幻なのだから、「わたし」が感じているとされるものもまた、妄想です。

「わたし」は外の情報をありのままに認識することはできず、必ず三種類に分けて認識します。「好き」「嫌い」「面白くない」の三つです。

これはそれぞれ、第五夜で説明する三毒に関連します。詳しくは後に述べますので、ここでは仏教が考える、人間の三つの根本的な悪を三毒といい、三毒は「貪《とん》」（欲望）「瞋《じん》」（怒り）「痴《ち》」（無知）の三つからなる、とだけ理解してください。「好き」というのは自分の命を支えるもの、欲しいもので、これは欲望（貪）につながります。「嫌い」というのは自分に危害を加えるもの、嫌なもので、これは怒り（瞋）につながります。そして「面白くない」というのは自分に関係ないもので、無関心・無知（痴）につながります。

「わたし」というのがそもそも妄想なのですから、こうした認識は当てになるはずがありません。だから往々にして間違っているのです。間違っているだけならまだいいのですが、人は「好き」「嫌い」「面白くない」といった妄想を抱いたときに、それを対象のせいにしてしまうのです。

例えば部屋の壁の色が気に入らない、と感じたとき、それを「わたし」というものの単なる主観とはとらえず、「気に入らないのは壁の色がきれいではないからだ」と壁のせいにしてしまうのです。

このように「対象が、このようであったなら」とか「これさえ手に入ればいいのに」といった感情が増幅して、外の世界を変えようとしたり、不満を募らせれば、どんどん三毒の世界にはまってしまいます。

そこから抜け出すには、**「わたし」などはないという真理に気づくこと。これがすべての出発点です。**

第四夜

欲ほど恐ろしいものはないと知る

人間の欲にはきりがありません。
本当は限界があるのに、果てしなく拡大するのです。
人間はみな、欲の病人です。

なぜわたしたちに欲があるのかと訊《き》かれても、納得のいく説明はないのです。欲とは、単純にあれこれを欲しいと思う感情です。欲は理性に基づいて起きた気持ちではありません。

欲の感情は、生命に本来的に備わっているものなので、簡単に管理できると思わないほうがよいです。欲を消すことも難しい。しかし、あってほしい感情でもない。欲は人の幸福を破壊するネガティブな感情です。まずはなんとかして欲を制御する方法を学びましょう。欲というものを「必要」と「欲しい」の二つに分けて考えてみるのです。

われわれが生きていくためには、衣食住が必要不可欠です。食べ物がなくては一切の生命は死に絶えてしまいます。ですから体を維持するために食べ物を摂取する分には何の問題もありません。これが「必要」という欲です。

しかし、そこに「スタイルをよくしたい」とか「とにかくたくさん食べたい」とか「筋骨隆々のマッチョになりたい」とか、「必要」とは無関係の「欲しい」感情が加わると、実際の体が要求する分よりも、極端に少なかったり多かったり、偏った食事をすることになります。こうして問題が起きるのです。

いくらおいしいものを食べたいと思っても、食べる量には限度があるでしょう。ある程度になれば満腹になって、それ以上は食べたいとは思わない。それなのに、もっと食べたいと頭で妄想している。その結果極端な肥満になったりするのです。いまさかんにメタボといわれているのも、妄想が原因といえます。

ふつうに呼吸をしている人は「もっと酸素が欲しい」とはいいませんね。このことからわかるように、体が必要とするだけの分量が、すなわちリミットであって、リミットに達すれば、それ以上はいらないはずなのです。

それがわからなくて「もっと欲しい」と思うのは、病気なのです。このことは、結婚やお金を例にすると、よりわかりやすくなります。

たとえば男性が、十人の美しい女性を前にして、あの人ともこの人とも結婚したいと思っても、それは無理ですね。選べるのは一人だけ。よく話してみて、自分と気の合う人を一人選ぶしかない。

それで本人の欲求は満たせるのです。それでも十人全員と仲良くしたい思う人は、結局、誰とも結婚できないのです。せっかく一人と仲良くするチャンスがあったのに、まるっきりモテない人間になるのです。

次にお金についてです。

誰かに「いくらお金があったら十分ですか」と訊いてみたとします。すると、たいていの場合、「いくらあってもいい」と返ってくるでしょう。お金はいくらあっても困らない、もらえるだけ欲しい、できるだけ大金持ちになりたい……。そんなふうに思っていませんか。

お金に意味があるのは、どんなときでしょうか。

自分が必要な何かを、買ったり使ったりするときだけです。そこまでならリミットがあるから理屈は成り立っています。

しかし例えば、日本人が自家用ジェット機を買ったとしますね。でも、そんなものは日本の中では使えないでしょう。オーストラリアなど、広大な国土を持つ国なら使えるかもしれないけれど、日本では無理です。そんな使えないものを買ってどうしようというのでしょう。あるいは、世界各国に別荘を持ちたいと思ったとしても、年に一度も行くことができないのなら、どうしてそんなものを持つ必要があるのでしょうか。

あるいは、大金持ちの女性なら、好きなだけ服を買うことができます。しかし、年齢によって着られる服、似合う服は限られます。せっかく買っても着られないのなら、タンスの肥やしになり、倉庫にしまっておくだけで、なんの役にも立ちません。

このように限りのない妄想から生まれる欲、それを仏教では「異常欲」というのです。もちろん、それなりのおしゃれをしたい、という常識的な欲はあっていいんですよ。でも、**ブリトニー・スピアーズが身につけているからといって、何千万円もするネックレスや指輪が欲しいなどと思うのは、異常欲なのです。**必要のないものを買う理由はない。それなのに、とんでもない大金持ちの消費行動を、一般の人がまねようとしてしまう。

しかしそれでは心の平穏は得られません。

そこで仏教が推薦するのは、「欲しい」ではなくて「必要」ということです。

「これだけあれば十分だ」というリミットを自分で意識しながら生活してみてください。自分の体に、自分の心にゆっくり耳を傾けて、「いまのわたしには何がどれだけ必要か」と聞いてみる。そうすると案外、必要とするものは簡単にそろうのです。

「欲しい」という感情で観察してみると、欲しいもののリストがとても長くなります。実現できるものはほんのわずか。それでは止まりません。欲しいもののリストは、いくらでも伸びるのです。「欲しい」という気持ちをどんどん大きくしてしまうと、ついには人のものを奪ったり、人を殺したり、最悪の場合には、戦争さえ引き起こすことにつながります。無知な人は、「必要」をたやすく「欲しい」という感情に転換してしまいます。そこは気をひきしめて、「むやみに欲しがるのは病気だ」と、自分にいい聞かせてみてはどうでしょう。

「欲しい」を「必要」に切り換えて、リミットのある生活をつづけてみる。そうすると、あなたが思っている以上に、満足感が得られたり、精神的にも充実したりして、もっと楽しく生きられるようになりますよ。

第五夜

「自分に正直」に生きてはいけない

人間の心は、放っておけばすぐ悪い方向へ向かいます。
心をコントロールしないと
充実した人生を送ることはできません。

六十歳になれば、どんなにまじめに仕事をしてきた人であっても、定年という形で会社から追い出されてしまいますね。六十五歳まで定年を延長しようという話も聞きますが、多少その時期を延ばしても結局は同じことです。

自分が会社を創立して規模を拡大してみたところで、しょせんいつかは誰かのものになってしまう。あるいは、長い年月をかけて一生懸命子どもを育てたとしても、大人になればやがて家から出ていってしまう。

このように、いつかは自分の手からすり抜けていってしまうもの――財産、家族、友人関係――に大きな労力を傾けても、その努力がムダになる可能性は誰にでもあるのです。

ですから、自分でないものに投資するのではなく、自分自身に投資してみてはいかがでしょうか。

仏教では自分ということをたいへん重んじています。自分に投資するとは、道徳的にも性格的にも良い人間になれるように、人格的に向上するように努力することです。

自分自身であれば、会社や子どもたちとは違って、一生、自分のもとから離れることはありませんから、安心して思う存分投資できます。そうすれば、死ぬときにだって、とても気分がよくなるはずです。「われながらしっかり生きてきた」「悔いはないんだ」という気持ち。このような満足感にまさる財産はありません。

❖自分に挑戦する道

そうはいっても、それは容易な道ではありません。人格を向上させるには、心を育てる必要があります。しかし、人間の心というのは、一言でいって卑しい、汚い、悪いことが大好きなのです。ほとんどそれだけといってもいい。

つまり人間は誰もが精神的な病に犯されていて、そこから逃れることは容易ではないのです。完全に逃れることができたら、それは「悟った」ということです。普通の人にはなかなかできません。

仏教ではこの心の病を、三種類に分けています。一つは「欲」(貪《とん》)です。

食欲、性欲、睡眠欲、名誉欲など、いろんな欲によってわたしたちの目は曇らされています。

次に「怒り」（瞋《じん》）があります。会社の同僚、学校の同級生、自宅の隣人、他の村や町、他国の人々など、人間はどんなところにも敵を作って、攻撃しようとします。

三つ目にどうしようもない「無知」（痴《ち》）があります。人間の認識には限界があり、物事を客観視することがどうしてもできません。欲や怒りによって、認識はさらにゆがめられます。

これらを仏教では貪瞋痴《とんじんち》の三毒と呼んでいますが、人間の心の中にはこうした悪い感情が渦巻いていて、こうした感情を超えたところでものを考えることを妨げているのです。

仏教では「感情で生きることは無意味です」と教えています。感情には論理がないので、科学性や客観性がありません。三角形の内角の和はなぜ一八〇度になるか尋ねられたら、人はそれを説明することができます。

しかしバラの花が好きな人に、「なぜバラの花が好きなのですか？」と訊《き》いても、論理的な答えは返ってきません。「好きだから好き」というだけです。「なぜあの人に怒るのですか？」と訊いても、「あの人が気に入らない」というだけで、納得のいく答えは返ってこないのです。感情の問題だからです。だから自分の感情に従う生き方は、ろくなものではありません。しかし最近の日本では、「自分に正直に生きる」などといって、これをほめそやしています。これほど危険なことはありません。

なぜなら、普通の人の「正直」は、「貪瞋痴の感情に従って生きること」になるからです。「自分に正直」な人は、「あなたのことが嫌いだから、別れましょう」「あなたのことが好きだから、つきあいましょう」と自分の感情だけで物事を決めてしまいます。

「自分に正直」が良いというのなら、泥棒だって、殺人犯だって、負けていません。彼らは自分の感情に真っ正直に、やりたいことをやって生きています。

世の中の悪は、たいてい、「自分に正直」な人たちが引き起こしているのです。

しかし、だからと言って自分の気持ちに正反対の行動をすることにしても、それもまた問題です。大変なストレスがたまりますし、長続きしません。

ではどうすればよいか。

それはまず「理解する」ことです。

欲や怒りが生まれたときに、「これは欲だ」「これは怒りだ」と気づくこと。これをパーリ語で「サティ（気づき）」と言います。欲や怒りが生まれると、人間はものが見えなくなり、感情に駆られて正常な判断ができなくなります。それをおさえるには、まず自分がそういう状態であると認識することです。それがサティです。

そして日頃から感情に操られる奴隷でなく感情を操る御者《ぎょしゃ》となるように、訓練をつむことです。

その訓練法が仏教であり、仏教とは具体的・論理的な感情のトレーニング法でもあるのです。

第六夜

失敗を他人のせいにしない

社会の仕組みがどうであろうと、
その中でうまく生きることは、
個人個人の裁量であり、責任といえます。

二〇〇八年六月に秋葉原で通り魔事件が起きました。亡くなった方にはたいへんお気の毒ですが、ああいう犯罪というのはなかなかなくならないものだといえます。

なぜなら、とんでもない事件を起こす人間は、自分の失敗を常に他人のせいにするからです。自分で適切に努力しようとしない人間です。自分が正しく、社会が間違っているという、アベコベの考えの持ち主なのです。

犯人の男が、若くして派遣社員となり会社からクビになるところだったとか、格差社会の犠牲者だとかいろいろな論評がありますけれども、では、派遣社員の人が全員あんな事件を起こすのでしょうか。格差に怒る若い人がみんな人殺しに走りますか？ わたしはそうではないと思いますよ。

つまり、あの人物は、いわば神様気分でいたのではないでしょうか。「世界に自分のことを認めてほしい。みんなからかわいがられたい」というのは、仏教から見るとそもそも成り立たない理屈です。

自分が受け入れられないとわかったのなら、社会に文句をいう前に、どうして自分を売り込むための努力をしないのでしょう。女性にモテないことをくやしく思うのなら、あの手この手で工夫して、女性の気を引くような努力をすればよかったでしょう。

自分がなんの努力もしていないのに、他人のせいにする、社会のせいにする。挙げ句の果てに、人まで殺す。これは最悪、話にならない屁理屈ですね。

社会の仕組みがどうであろうと、その中でうまく生きることは、個人個人の裁量であり、責任といえます。その環境の中でどう生きればいいかというのは、とりもなおさず個人の問題なのです。

わたしは、スリランカというアジアの国から日本に来ました。

母国スリランカでは、お坊さんのいうことは誰でも聞くし、銀行でも病院でもどこへ行っても待つために並ぶことなどありません。それぐらい敬意を払われる立場だったのです。

ところが日本へ来たら、そんなことはいっていられません。バスに乗るのでも、バス停で列に並びます。でもそれは当たり前のことなのです。

スリランカでそうであっても、それは日本では通じない。それはわたし個人のことであって、わたしが日本に文句をいう権利はないのです。日本では僧侶にそれほど敬意が払われていないからです。でも、そんなことをわたしは気にしません。

なぜなら、わたし個人が日本に来ているのだから、わたしが幸福に生きるための工夫は、わたし自身がしていかなければいけません。自分がこの社会でどう生きるかは、自分の責任なのですから、モテないとか誰からも相手にされないとか、そんな理由で人殺しをするというのは、邪見中の邪見です。

❖社会の価値観が後押し

しかし、こういう事件が起きること自体は、別に不思議でもなんでもありません。

無差別殺人の犯人たちは、警察が、「どうしてこんなことをしたのか。刺した人に恨みでもあったのか？」と訊くと、「いえ、特にありません。誰でもいいから殺してみたかった」と答えます。「殺したい」というただそれだけの理由で、まったく知らない人を、刺したり轢《ひ》いたり、殴ったりしているのです。

マスコミはその動機を理解できないものだと考えて、「不可解だ、不可解だ」と騒ぎます。

でも、本当は全然たいしたことではないのです。「刺したいから刺した」「殺したいから殺した」というのは、人間として別に変わったことではないのです。**人間の本音というのは、自分の願望さえ叶《かな》えば、どんな残酷なことでもやってのけるのです。**人間の本性はそんなものです。歴史をみれば、そんな事例が山のように見つかります。

ですから、たまたま誰かが人を無差別に殺したからといって、驚かなくていいのです。犯人はただ、テレビを見たり、ゲームをしたり、マンガを読んだり、映画を見たりしているうちに、「刺してみたいなあ」「人を殺したら、どんな気持ちがするだろうか」という気持ちが湧いてきて、それを実行に移したというだけのことです。人間とはそういうものなのです。

こんな意見は、一見奇妙に聞こえるかもしれません。しかし、世の中でどんなことが「善いこと」とされているかを考えてみれば、わたしの意見に賛同してもらえるでしょう。

現代の日本では、おいしいもの、楽しいもの、快適なもの、素敵なもの、健康に良いもの、長生きできるものを手にして生きることが推奨されています。ほとんどそればかり考えているといってもよいのです。いいかえると、「欲を満たしながら長生きすることが正しい生き方だ」と、世間の人は本心から思っているのです。

無差別殺人の犯人は「不可解だ」と騒ぎ立てている新聞やテレビの人たちだって、「欲を満たしながら長生きすることは良いことだ」と思って生きているのです。それ以外の人だってそうです。犯人だってそうです。

犯人たちは、この世の中の価値観に忠実に従っただけなのです。そこには「道徳」や「正しい生き方」といった考えはありません。みな、「自分さえ良ければいいや」「欲を満たしながら長生きできればいいや」と思って生きている。

たまたまこの殺人犯の場合は、願望の中身が人を殺すということだったというだけであって、殺人犯とそれ以外の人々に、根本的な違いはないのです。

もし根本的な解決を図りたいのであれば、世の中の価値観を変えるしかありません。

第七夜

「偉い」とはどういうことか

地位や財産、名誉のある人が偉いのではありません。
人格を高め、自分の役割をきちんと果たせる人はみな偉大です。

社会的に地位のある人や有名人が不祥事を起こすたび、テレビや新聞は「あんな立派な人がなぜ……」というふうに嘆いてみせます。本当は嘆くことなどないのです。どんな人間を評価し、どんな人間を評価しないか、いいかえればどんな人物をリーダーとみなすかについての世間の基準は、まったく狂っているからです。

仏教は、一人ひとりの人間が、社会人としてきちんと生活することを大きなテーマとしていますから、社会における役割分担の重要さを説き、社会的動物として、人がそれぞれ果たす役割について深く考えています。

このとき、その場に応じて期待され、必要とされる役割をきちんと果たす人がリーダーとなります。しかし、上下関係や力の強弱でできるタテのリーダーシップでは、支配する側、支配される側と、人々を二種類に分けてしまいます。

このようなことが起きるのは、一人ひとりが自分の責任を果たさず、他人に対して「与えるべきもの」を与えていないからです。与えるべきものを与えることで、ヨコのリーダーシップを築く、すなわち、一人ひとりが自分の持ち場で自分の責任を果たしていくことで、それぞれが対等なリーダーになれるのです。つまり、仏教的にみれば、リーダーとはたった一人の誰かではなく、自分の役割をきちんと果たせる人々すべてであると考えることができます。正しい生き方を守ることができれば、誰でもリーダーになれます。

世間では、こうした仏教の考え方とはまったく別の考え方をしています。新聞やテレビで「リーダー」と呼ばれている人は、どんな人かというと、知識人、収入が高い人、地位の高い(有名な)人です。日本人は幼い時から、「この三つに挑戦しなさい、それこそが人生だ」と言い聞かされて育ってきています。

しかし問題なのは、「それで世界はうまくいっているのか」ということでしょう。知識人も、お金持ちも、有名人もたくさんいますが、しかし、そういう人のなかからも、犯罪者が山のように出ています。そして、社会の問題は全然解決していません。むしろ知識や財産、名誉を求めて人々は激しく競争し、そのことがさらに社会を悪くしています。

だからお釈迦様は、「愚か者たちが知っている智慧《ちえ》はすべて自己破壊になるのだ」と説いているのです。知識や財産、名誉を追求するより先に、まず人格者になりなさいとお釈迦様は諭しているのです。わたしたちが人格者になってさらに富や名誉を得るのならば、この世はよくなります。**人格者がリーダーになるのであって、リーダーだから人格者になるのではないのです。**

人格を高めるにはどうしたらよいか。仏教ではそれを五つの「してはいけないこと」、四つの「すべきこと」にまとめています。

五つの「してはいけないこと」。これは「五戒《ごかい》」と呼ばれます。

（1）不殺生戒《ふせっしょうかい》（生きものを殺してはいけない）
（2）不偸盗戒《ふちゅうとうかい》（他人のものを盗んではいけない）
（3）不邪淫戒《ふじゃいんかい》（自分の妻や夫以外と交わってはいけない）
（4）不妄語戒《ふもうごかい》（うそをついてはいけない）
（5）不飲酒戒《ふおんじゅかい》（酒・麻薬など酔わせるものを飲んではいけない）

四つの「すべきこと」。これを「四摂事《ししょうじ》」といいます。

（1）布施《ふせ》（分かちあう）
（2）愛語《あいご》（やさしい言葉で語る）
（3）利行《りぎょう》（世の中のみんなに役立つことをする）
（4）同事《どうじ》（すべての生命に対してどんなときでも平等な気持ちでいる）

先の「五戒」はわかりやすいと思いますが、「四摂事」は説明が必要かもしれませんね。これについては項を改めて、じっくり説明しましょう（第十六夜）。

第八夜

喜怒哀楽はよいものではない

感情だけで押し通そうとする人ばかりの社会は、だんだん疲弊して、しまいには壊れてしまいます。

仏教では理性をなによりも重んじます。

感情というのは、理性が壊れた状態のことをいいます。ですから、理性と感情とでバランスを取ることはできないのです。

人間はやみくもに喜怒哀楽という感情を追っています。なぜそんなにも喜怒哀楽中毒になったのでしょうか。誰もその原因を探そうとしません。原因はどうであっても、喜怒哀楽が欲しい、と切望しているのです。やみくもに喜怒哀楽を追うのは、結局は「生きることが苦」だからです。

喜怒哀楽が苦を消してくれるならば、病が治るはずです。しかし、「生きることが苦」なのですから、この病は治るはずはないのです。喜怒哀楽に一時的に酔っても、その後も生き続けなくてはいけない。感情が鎮《しず》まれば、また苦を感じるのです。また、喜怒哀楽に酔わなくてはいけなくなるのです。

そこで二つの苦しみが現れます。一つめは、生きることは苦であるという、すべての生きものにある普遍的な苦。二つめは、喜怒哀楽中毒になって、やみくもに喜怒哀楽を追う苦です。どんなに頑張って生きてみても、苦からは逃避できないと理性に基づいて理解すれば、いちいち感情にゆさぶられて不安定になることはなくなります。

感情の激しい人は、喜んだり、泣いたり、落ち込んだり、舞い上がったりが著《いちじる》しいでしょう。同じものに対して、あるときは喜び、あるときは腹を立てるから、あまり一貫性がないのです。ですから、何をすれば喜びが生まれるか、何を経験すれば悲しくなるのか、はっきりわからない。感情任せです。今日は自分の人生において喜になるか、怒になるか、哀になるか、楽になるかは、運まかせ。このような運まかせの人生では、有意義なことは何一つできません。

ですから、仏教は感情を危険視して、理性で生きることを推薦するのです。ただし、喜び、楽しみのすべてが悪いというわけではありません。喜び、楽しみを感じると、人は成長します。努力することができるようになるのです。人格向上には「喜び」という栄養が必要です。

それでも、感情的な喜びは危険です。代わりに、理性によって得られる喜びを仏教は推奨しています。

少しわかりにくいかもしれませんが、例えば、あなたが誰かを助けてあげるという「善行為」をします。善行為の結果として、得られた喜びを経験的に感じます。このときの「喜び」は「楽しい！」と酔う感情とはちがいます。

二つの喜びは簡単に分けられるわけではありません。病気が治ったとか、長いこと行方不明だった人が無事帰ってきたとかいう場合、人は喜びますね。これは感情的な喜びではありません。人はみな、その場合は喜びます。それは、いままで自分を悩ませていたある現実が消えてしまったという喜びです。しかし、このような喜びですら、一時的なものなのです。行方不明だった親しい人が帰ってきたとします。いまその人がいるから、消すべき不安、恐怖感、悲しみはない。行方不明の時は、不安も恐怖も悲しみも、いっぱいあったのに、それらはその人の顔を見た瞬間に、消えてしまうのです。大きな喜びに溢れていたのに、二、三年経つと、もうその喜びはないのです。その人に腹を立てて、ケンカしたり、うるさいと思ったり、怒鳴ったりもする。それが、現実的な喜びというものです。

ここで理解しておきましょう。喜びとは、不満、恐怖感、苦しみ、悲しみなどが消えてゆくことです。喜怒哀楽のように、やみくもになにかを追うことではありません。苦しみから逃避することでも、苦しみをなかったことにすることでもないのです。苦しみを消すためには、苦しみに立ち向かわなくてはいけないのです。

感情にまかせて突っ走る人は、ただうるさいだけです。迷惑です。わたしたちは喜怒哀楽が必要と強調しつつ、感情の衝動のみで生きる人のことは嫌います。話が通じない危ない人だと思うのです。あの人にかかわったら、何をされるかわからないと危険視するのです。しかし、自分では喜怒哀楽は大好きです。これは矛盾ですよね。

❖過程を楽しむ

ですから、論理的に物事を考えて、自分の感情を入れないで理性をはたらかせると、人生はとても楽しくなるんですよ。でもそれは俗世間でいう「楽しむ」

という快楽・刺激とは違います。「人生は楽しめばいいんでしょう」という安易な話とも違います。

もう一度整理してみましょう。**楽しみといっても二種類あるのです。一つは何かに依存する楽しみ、もう一つは依存しない楽しみです。**何かに依存する楽しみというのは、ある行為の結果や属性によって成り立つ楽しみです。わかりやすいのがスポーツ選手です。オリンピックで金メダルをとるために、ワールドカップで勝ち抜くために……とばかり思い詰めて練習すると、練習はとてもつらくて苦しいものになります。これに対して、依存しない楽しみは、ずっと楽で健やかな楽しみです。同じ練習をするのでも、練習そのものに意識を集中して、結果や感情に縛られません。ずっと理性的な楽しみなのです。

一方、理性があれば、楽しみはひとりでに生まれてくるものです。別に、楽しくなるという目的を作って楽を追っているわけではない。ふつうに自分の仕事をしているのに、楽しみがひとりでについてきて、消えないのです。理性をもって生きているだけで、楽しみが生まれるのです。

仕事をしたら、その結果として楽しくなりますよ、と言われると、仕事は苦しい。やみくもにでもやらなくてはいけない。結果として、楽しみが得られる、という順番になります。しかしその結果は、瞬時に消えるのです。スポーツ競技で勝利してメダルを取れれば楽しいというのは、瞬間のできごとです。そのために地獄のような苦しみを乗り越えて、競技をしなくてはいけないことになるのです。

仏教で推薦しているのは、「理性を持つならば、仕事をする過程でも、スポーツの練習をするときも競技するときも、楽しみがついてきますよ」ということです。つまり期待しないことから楽しみが生まれるのです。

結果として楽しみや幸福を期待するならば、方法にも依存するし、結果にも依存するのです。何かに依存することは、自由がなくなることです。自由がなくなるということは、生きる喜びが消えるということです。喜怒哀楽に依存する人々は、仕事からも、その結果からも楽を得られないから、その得られなかった楽の代償を求めて、喜怒哀楽に逃げ込むのです。

第2章

よりよく生きる

第九夜

人生に意味などない

人間はたまたま生まれてきただけです。
そこに「意味」などありません。

生きていることにはたいへんな意味がある、とよくいわれます。けれども本当に意味があるのでしょうか。

答えはノーです。それは誤解に基づく考え方なのです。

生きるというのは、単に母体から生まれてきた生物が、年をとって、徐々におとろえてゆき、ついには寿命をむかえて死んでいく、ただそれだけの話です。ですから、生きること自体には意味などないのです。

それなのにこれまでさまざまな文化が長い間にわたって、「生きることはそれだけで尊い」「生きることには意味がある」といってきました。その結果、多くの人々が、「人生には絶対的な意味がある」と思わされてきたのですが、実際にはそんな証拠は、どこを探しても見つからないのです。

「そんなことはない。わたしには人生の目的があります」と反論される方がいらっしゃるかもしれません。でも、「目的」の中身をきちんと見てみれば、そのすべては、実は「目的」などと大層な名前で呼べるようなものではないことに気づくことでしょう。

例えば、「お金をたくさん稼いで、家を建てる」ことを目的としている人がいたとします。何年もかけてお金を貯め、多額のローンを組んで、立派な家を建てた。目的達成です。この人は、その後どうなるでしょうか？

満足して幸せに生きられるでしょうか？　いえ、そうはならないのです。家は建てた瞬間から、変わっていきます。最初は傷一つなく、きらびやかでも、住んでいるうちにどんどん傷がついていきます。いろんなところが壊れていきます。壊れたら修理をしなければなりません。汚れたり、ゴミがたまったりすれば掃除をしなければなりません。広くて立派な家であればあるほど、修理や掃除は大変ですね。トイレが一つの家から二つの家に引っ越したら、掃除の手間は二倍になります。広い窓は拭くのが一苦労、広い庭は草刈りが大変です。

都心から近ければ治安が心配ですし、遠ければ通勤が大変。素敵な子ども部屋を用意しても、数年したら子どもたちが自立して不要になります。あるいは逆に、部屋の居心地があまりに良すぎて、「ひきこもり」になってしまったりします。

このように、「家を建てる」ということを目的として、それを達成しても、その人は決して満足はできないのです。

あるいは「会社で出世して、社長になる」ということを目的としたとします。毎日寝る間も惜しんで働いて、係長、課長、部長……と昇進して、最後は望み通り社長の座についたとします。

新入社員のときは、まだ仕事を覚えていませんから、わからないことがたくさんあって苦労しますね。下働きや残業も多いことでしょう。中堅社員になれば、下積みの苦労は減りますが、今度は上と下に挟まれて、気苦労が絶えません。

テレビや雑誌に出るような有名人になると、家族や友人関係さえも世間の好奇の目にさらされ、一時も心を休めることができません。友人も少なくなります。お金持ちになった後に近づいてきたような友人は、金目当てに決まっています。

事件や事故に遭《あ》うこともなく、社長で退職すれば良い人生かというと、そうもいきません。お金も家もあり、子どもも巣立ってしまって、することがない。そうすると一日は非常に長くなります。退屈もまた苦しいのです。毎日、毎日「今日は何をしようか」と考えるのもしんどいのです。地位も財産もある人は、世間的な意味での「生きる目的」を持ちにくくなります。ハリウッドの俳優やお金持ち、いわゆるセレブと呼ばれる人たちが酒や麻薬で死ぬことが多いのは、このためです。

このように、俗世間で「生きる意味」とか「目的」とか呼ばれているものは、実際にはどれも単に「生きているからやっていること」にすぎないのです。生きているから働く、生きているから家に住む、生きているから人とつきあう。ただ、それだけのことです。そして金持ちも貧乏人も、みな最後は死にます。そこにも意味はありません。

❖目的なき人生をどう生きるか

生きることに意味や目的などない。ですから人は、そのときそのとき、自分の年齢に合った仕事をきちんとやって過ごしていけばいいのです。十代のときには十代の仕事、二十代のときには二十代の仕事、三十代になったら三十代の仕事、……そうやって、そのときあなたがするべき仕事をきちんとやっていけば、遺伝子にプログラミングされた個体としての生をまっとうできるのです。

人間が死ぬことは、どう抵抗してみたところで避けられない事実ですから、「どうして生まれてきたのか」という質問には誰も答えられない。そもそも生きる目的や意味というものがあると思うから、それが見つからないことに悩んだり、自分の存在を否定したり、精神的な混乱に陥ったりしてしまうのです。

こうした悩みをかかえる人に対して、仏教は二つの答えを用意しています。

一つは、いまお話ししたように、そもそも生きることに意味などないんだと知ることです。健康ぐらいは自分で管理できるでしょうから、それは管理して、管理できないことについては放っておきましょう。世の中には「答えのない問い」と「答えのある問い」があります。**「生きる意味」は「答えのない問い」**

です。「答えのない問い」は放っておく。それが理性に基づく生き方なのです。

もう一つの答えは、努力をするということです。

こういうと、何を当たり前のことをと思われるかもしれませんが、動物と人間を分けるものは、自分を成長させるための努力をするかしないか、という点にあります。動物も子孫を残していくために、子を産み、育て、獲物をさがすという努力はしますが、「より良い生活をおくる」ための努力はしていません。人間は、より良い人生をおくれるように自ら学び、成長する生きものなのです。

せっかく動物とは違う能力をもって生まれたのですから、努力して、学んで、どこまでも自分を高めつづけることをお勧めします。そうすれば、かならずや充実した人生をおくることができるからです。

第十夜

将来はわからないのが当然

「先がわからないのが人生である」と理解しておいて、
あとは現実に基づいた不安を持つ。

みなさんは、不安のない人生を送りたいと願っているでしょう。

そのために努力する必要もあるでしょう。

ただし、それが実るかどうかの保証はありません。自分の命さえ、明日ある保証はないのです。もしかしたらほんの一分後にも、人生が終わっているかもしれません。

一切の現象は無常なのです。どんなに計画を立てても、状況によって結果は変わります。お釈迦様も「明日生きられるという保証はない」とおっしゃっています。

ですから、あんまり執着しないことです。何かに期待したり、執着したり、頑固な計画を立ててみても、それが叶わないこともあります。

例えば、ガンにならないように食べ物に気をつけて規則正しい生活をしていたとしても、いつ交通事故に遭《あ》わないとも限りません。ですから人生において安心ということは成り立たないのです。そこを理解して、よく注意して生きていけばよろしいと思います。

雪山登山をする場合、なんの用心もしないで臨む人間は、滑落《かつらく》したり雪崩《なだれ》に遭ったりして、あっけなく死にます。しかし、つねに雪山というのは危険だという気持ちを持って、慎重すぎるほど慎重に注意を払っている人は登頂に成功して、しかもちゃんと降りてこられるのです。

そんなに危険ならエベレスト登山などしなければいいのに、人間はそれをやめませんね。極端に危険だと知ったうえで、とにかく挑戦しつづけます。成功するためには、注意は欠かせません。

それが人間のおもしろいところですね。

人生においても、そういうアプローチをすればいいのです。

先が不安で怖い、だから生きるのがイヤかというと、案外そうでもないのです。危険だと承知のうえで、最大限の注意を払いながら生きてゆく。それもポジティブに明るく挑戦しつづける。

ですから「先がわからないのが人生である」と理解する。理由のない不安は不要ですが、現実に基づいた不安は必要です。

❖「忙しい」人は怠けもの

先のことは考えない、という話をしました。先のこと、未来のことは誰にもわからない。原理的に考えてもわからないことを考えるというのは、つまり妄想で頭をいっぱいにしているということです。

妄想で頭をいっぱいにしている人は、能力を発揮できません。妄想はストレスをもたらし、妄想があると人生何をやっても苦しみと失敗で終わります。わたしたちは妄想のせいで、自分の「能力の器」に穴を開けているのです。そのせいで、これまでできたことができなくなったり、持っていた能力を失ったりして、人生の歯車を狂わせたりするのです。

実は**いつも「忙しい、忙しい」といっている人は、一見まじめなようですが、「怠け者」です。**頭の中で妄想がグルグルまわっているから、「忙しい」と感じるのです。

何もしないでお菓子を食べたり、テレビを見たりしていた人が、「さて、掃除でもするか」と立ち上がりましたが、なかなか取りかからない。なぜでしょうか？

それは、頭の中でムダなことをいろいろと考えているからです。「別に毎日掃除をしなくてもいいんじゃないかなあ……。人間にはもっと大切なことがあるんじゃないか……」などというふうに。こんなことを考えているから、時間がなくなって忙しくなるのです。

怠け者は時間をとてもムダに使います。妄想に囚われているからです。「忙しい」「忙しい」といっているとき、人は何かをおろそかにしているのです。いかにすべきことが多いといっても、一日の時間は決まっています。その範囲でやるべきことをやればいいので、いまやるべきことをやっている人は、「忙しい」という言い訳は不要ですし、いいません。

では、妄想はどのようにすれば止まるのでしょうか。

「いま・ここ」の自分を観察することで、妄想は止まります。具体的には、いま行っているそのことに心を集中させるのです。心がいまより一分前（過去）のことにも、一分先（未来）のことにも引っかからないようにすることです。

そうすると、妄想は止まります。

でも、油断すると、心はすぐ「いま・ここ」から脱線します。心は、破壊的な妄想がとても好きなのです。だから常に自分を観察していないといけません。

過去のことを思い悩む人にとって、現在はとても大変になります。未来を妄想する人にとっても、現在はとても生きづらい。未来を予測するといっても、所詮それは過去の経験の寄せ集めに過ぎないのです。過去のことを妄想しても、未来のことを妄想しても、結局は過去にとらわれているのです。頭の中で同じ過去の記憶を繰り返し循環させているだけです。つまり、妄想です。

妄想する人は、現在に生きてはいないのです。いたずらに大切な人生の時間を浪費して、何の人格的成長もなく人生を終える人です。つまり、「怠け者」です。

そんな「怠け者」になってはいけません。

第十一夜

どう生きても最後は「ゼロ」

生きている間にどんなに成功しても、死ねばゼロです。
人生は苦です。
しかし人間は苦がなければ生きていられません。

お釈迦様は「生きることは苦である」と教えています。「苦」といっても単に「苦しい」という意味ではありません。お釈迦様が話されていたパーリ語では「ドゥッカ」といいます。これを中国で翻訳したときに「苦」という漢字を当てたのですが、「ドゥッカ」には「むなしい」「不満だ」という意味もあります。日本語の「苦」と重なるところもありますが、ちょっとズレがあります。

たとえば、われわれは必死で生きていますね。生まれてからどんどん歳を取って、結婚して、子どもが生まれて、一生懸命育てて学校に行かせ、大人になって独立して家を出ていくまで面倒を見つづけます。そして気がついたら自分は老いて、死んでいく――。

このように客観的に見てみると、生きるということは、なにも残らないということなのです。たいへんな苦労をして必死で生きてきたのに、結局得たものはなにもない。人生はトータルで見ればむなしいということになる。

二十代のときに思い残すこともなく、しておくべきことをした人は、晩年になってこうしておけばよかった、ああしておけばよかったと悔やんだりしないものです。しかしだからといって、それが人生における成功といえるかというと、俗世間ではそうかもしれませんが、仏教では「なにもない」「ゼロ」ということになります。

その人は価値ゼロで死にましたということになります。

つまり、理性で見ると、人生の結果は、どんなに正しくしっかり生きた人であってもゼロになります。プラスにはならない。いわんや、正しく生きてこなかった人や、やり残したことがたくさんある人にはマイナスしか残りません。ゼロになるのは、立派な人だといえるぐらいなのです。

このことは、俗世間でどんなに出世した人、功なり名を遂げた人でも同じです。そして死んだ後だけでなくて、人間の生活というのは、この世に生まれ落ちた瞬間から苦の連続です。それ以外はないのです。

「そんなことはない。わたしの人生には楽しいことがたくさんある」

とおっしゃるかもしれません。それは大変結構なことです。でも、よく理性を働かせてみれば、世間一般で「幸福」と呼んでいることはすべて「苦」と表裏一体であるということがわかるはずです。

例えば、お腹が空いていると、一口食べるとすごく楽しいでしょう。しかし、二口、三口……と続くうちに、その楽しさは減っていきます。三百口食べたらどうでしょう。「三百倍の幸せを感じます」とはならないでしょう。たぶん気持ちが悪くなって吐いてしまいます。

つまり、食べることは幸福なことでもあれば、苦でもある。

注意してみると、人生にはこんなものばかりです。

座るのが苦しくて、立ってみる。しかし立ち続けるとつらくなって、また座ります。

一人でいるのが寂しいから、結婚します。結婚して子どもができると、うるさくていやになります。

仕事がない人は、仕事がない苦しみを、仕事を見つけることで紛らわそうとします。しかし、仕事はあればあったで苦労が耐えません。仕事がないことも、あることも苦しいのです。

こう考えると、**世間でいう「幸せ」というのは、ある苦しみが一瞬紛れた、消えたように見えた状態のことを言っているのであって、絶対的な「幸せ」などというものはどこにもないのです。**

❖苦は生きるために必要なものでもある

さてこんなに嫌な「苦」ですから、それをなくせばよいかというと、そうではないのです。というのは、「苦」は人間にとって必要なものでもあるからです。

生命とは何かを考えてみましょう。生命のあるもの、生命のないものを比べると、生命のあるもの、すなわち生きものとは動くものです。変化するものです。

一つの細胞が生きているか死んでいるかを知る方法はたった一つ、その細胞が動いているかどうかによります。物理法則によって、たとえば風で揺らぐのではなく、それ自体に動きのあること、それがすなわち生きているということです。

そして生物は動くことを止めると、とたんに耐え難い苦しみを味わうものです。

わかりやすい例でいいましょう。

われわれはずっと呼吸をしていますね。ふーっと息を吐いて一分か二分ぐらい息を止めてみる。すると耐え難い苦痛を感じます。それでもそのまま息を止めつづけていると、やがて死にます。あるいは、死なないまでも、細胞レベルではかなりのダメージを受けます。われわれはそういう耐え難い苦しみを避けようと必死でもがきます。それが動きにつながるのです。

ですから、なぜ生物は呼吸をするのかといえば、それは止めたら苦しいからです。なぜご飯を食べるのかといえば、食べなければ飢《う》えて苦しいからです。このように、苦痛があるから、それを避けようとわれわれは必死になって動きます。それがすなわち、生きるということなのです。

呼吸でも、心臓でも、止まったらたちまち耐え難い苦痛が生まれますから、苦がわれわれを生かしているといえる。われわれを生かす原動力が、すなわち、苦なのです。

だから苦は、必要なものでもあるのです。このことは、苦がない状態、つまり「満足すること」を考えてみてもわかります。

不満が全部なくなれば、わたしたちは幸福でしょうか？

「満足した」というその瞬間には、確かに喜びを感じるでしょう。しかし、本当に満足してしまったら、二度とその行為をする必要がなくなります。「生きることに満足した」なら、生きることができなくなり、生きることが終了します。人生に満足したということは、人生が終わったということです。

ご飯を食べる、仕事をする、学校に行く、人としゃべる、掃除、洗濯、料理などなど、わたしたちは日常に満足していません。満足していないからこそ、明日もがんばって生活をするのです。

例えば、音楽が好きな人は、自分の演奏に不満を感じて、「もっとうまくなりたい、満足したい」とがんばります。

「頭が悪いからよくなりたい」と思っている人は懸命に勉強します。「頭が悪い」という不満が、その人を動かしているのです。

このようにして、苦は生きることに必要なものでもあります。苦をなくしては、生きられないのです。

まとめますと、わたしたちは不満をなくそうとしてがんばります。しかし不満がすべてなくなるというのは死ぬことです。そして、不満を満たしても、次から次へとまた別の不満が生まれ、この挑戦には、終わりはありません。

これが仏教でいう「輪廻転生《りんねてんしょう》」です。

第十二夜

すべてが「失敗」の毎日である

未来である「明日」から見れば、過去である「今日」は常に失敗です。人生は失敗の連続なのです。

新しいことをはじめるときは誰でも初心者です。わからないことを先輩や熟練した人に聞いてみる。それは恥ずかしいことでもなんでもありません。

ところが、いまは、「人に聞くことができない」という若者が案外多いようです。わからないことをそのままにしていたら、どうなりますか？

聞くは一時の恥、知らぬは一生の恥、という言葉が日本にはありますね。一回聞いてしまえばいいのです。

サラリーマンでもＯＬでも、はじめての仕事に就《つ》けば何をすればいいのかわからないから不安に思うのは当たり前のことです。そのときは、先輩や同僚に教えてもらえばいいのです。

教えてもらってやってみたら失敗した、それだって気にすることはありません。そこから学べばよろしいのです。もっと図太くたくましい気持ちでいるほうが人生は楽しくなりますよ。一度や二度の失敗なんて、誰にでもあるものです。そういうごく当たり前のことから逃げてしまったら、あなたが損をしてしまいます。

嫌だなと思うことが蓄積すると逃走したくなる。しかし人間というのは、そこで踏みとどまって社会を発展させてきたのですから、理性に基づいて、ゆっくりと考えてみれば、たいていのことは解決できるのです。

❖一つの失敗をひきずらない

仕事で失敗した、その失敗をいつまでも引きずって落ち込んでしまう。そんな経験は、おそらくみなさん、一回や二回ではないでしょう。多くの人が失敗とともに生きてきたといえますね。

仏教の考え方によれば、人間というのは日々成長するものです。われわれが生きていることはすべて、進化している過程であると考えます。この進化の過程という見方からすると、いついかなるときも完全ということはありません。

完成してそれが止まってしまったら、あとは退化するだけですから、いってみれば、すべては不完全な状態といえるのです。

人生も同じように、常に進化過程にあるといえます。

今日より明日、明日より明後日をより良いものにしなくてはいけない、そういう観点からすると、人生はすべて失敗といえます。

つまり、未来である「明日」から見れば、その経験を持たない過去である「今日」は失敗です。そういう見方をすれば、**人生というのは一生が失敗。失敗の連続なのです。**

「過去と今日を比較すると、今日は成功した。今日と明日を比較すると、今日は失敗でした」という見方がよいと思います。そうすると、今日の人生は、成功でもあり、失敗でもあります。それでも、将来と比較するより、過去と比較するほうが現実的です。

そもそも失敗という言葉の定義をしてみますと、ある理想的な何かがあって、それに適合すれば成功ですし、適合しなければ失敗だということになりますね。だから、「わたしは失敗した」という定義をするためには、「完璧なわたしはこうでなければいけない」という前提が必要です。

ですから、仕事での失敗をいつまでも引きずっている人は、「自分は完璧だ」という考え方から抜けることができないでいるのです。しかし人間は完璧ではないし、毎日学び成長していく生きものなんですね。

そもそも失敗はあって当たり前のことです。上司に「全部だめだ。役に立たない」といわれたとしても、わたしはそれを失敗だとは思いません。より良い仕事をしていくためのはじめの一歩なのですから、それは完璧でなくて当然なのです。

われわれは、ただそのときそのときの能力で生きていく。

ほんの一時「成功した」と思っても、後になってみたら、それがただの通過点にすぎなかったということはよくあることです。

あるいは「失敗した」と思ったことが後になってみれば成功するのにどうしても必要な経験だったということもあります。

失敗したと思ったら、それを取り返すためにがんばってみる。そうやって人類は発展してきたのですから、小さなことでくよくよすることはありません。

仕事の失敗で左遷されてしまったとします。そんな人は、成功ばかり続けてきた人よりも多くの経験を積んだのですから、そうした経験のない人よりも、弱い人、失敗した人の気持ちがよくわかります。その後、人の上に立つような立場になれば、この経験はきっと生きることでしょう。

悪い友人に誘われて犯罪を犯してしまったとします。そうした人は犯罪を犯してしまう人の気持ちがよくわかりますから、刑事や弁護士のような職業に就けば、きっと成功するでしょう。

このように、何があっても学び続ける人には「失敗」はありません。学び続ける人はどんなことがあっても「敗残者」にはならないのです。どんな「失敗」も「よい経験」に変えてしまうからです。

人生にはひとつのことに「成功した」とか「失敗した」とかいっている暇はないのですよ。

仏教はすべてを因果関係でとらえます。原因があるから結果があるのですが、それをいくら思い悩んでも変えることはできないのです。悩むことが好きな人は、すべてを悩みに変えてしまいますが、その悩みを解決する方法はシンプルです。すべてのものは変化すると悟って、悩まないことです。

わたしが講演などでよく出す例に、自分がスーパーに買い物に行って、野菜をいっぱい買って家に戻ると、家が火事になっていた、という話があります。

あなたなら、どうしますか？　まずは何よりも、まだ誰も呼んでいないのなら消防車を呼ぶ必要がありますね。隣の家に延焼しないようにしないといけません。家に誰かがいるなら消防士に助けてもらう。家が焼けてしまったのだから、今日寝るところを探さなければいけません。まあ、ホテルでも親類の家でも、どちらでもいいでしょう。考えるべきはそんなところで、まあ大したことではありません。

家がぼうぼうと燃えているのに、悩んでいたらどうなりますか？　悩んではいけないのです。「ああ、出かけなきゃよかった」だとか「この先どうしたらよいのか」なんて悩んでいては、火事が隣家に延焼したり、残っている人が助からなくなります。

わたしたちの人生も、この火事の家のようなものだと思ってください。悩んでいる暇はないのです。

ひたすら、いまやるべきことに集中することが大事です。

第3章

人のつながり

第十三夜

人間関係は、うまくいかないのが当たり前

親子の間でさえ、お互いが何を考えているのかを完全に知ることはできません。ましてや他人同士は難しいのです。

数ある悩みのなかでも、人間関係にまつわる悩みはたいへん多いのです。

わたし自身も、人間関係ではいろいろと苦労してきました。

人間関係で、心から「ああよかった」と思える経験というのは、なかなかないのではないのではないでしょうか。

例えば、まだひとりだちする前、自分が何かやりたいことがあって両親が反対しているとき、説得して簡単に納得してもらえた覚えがありますか？

わたしたちにとって両親というのは、世界で一番自分のことを考えてくれる、どんな悪いことをしても許してくれる、最も近しい存在なのです。そんな存在であっても、「わたしのお父さんだから、お母さんだから、わたしが言ったことをちゃんと理解してくれます。言うとおりに納得してくれます」ということにはならないのです。

わたしの知る限り、自分の父親や母親でさえ、自分の言っていることを納得させること、理解してもらうことは至難の技です。自分が何かをしたければ、ケンカをして家出をしなければならないはめになってしまいます。

よくあるのが仕事と結婚問題ですね。自分の選んだ結婚相手を親が気に入ってくれない、結婚を許してくれないということは、とても多いのです。親に勘当されて、結婚して孫が生まれても口もきいてもらえないという話も、それほど珍しいことではありません。

人間関係はこのように、親子の間でさえ難しいのですから、ましてや他人との人間関係が難しいのは言うまでもないことなのです。

人間関係はなぜこれほど難しいのか。それは、人間にはもともと社会性がないからです。何にでも反対して自己主張する、というのは社会性がないということです。それにも関わらず、人間はいわゆる社会的動物なのです。一人だけでは生きていけません。住んでいる家も、食べているものも、着ている服も、ぜんぶ他人に作ってもらったものです。

つまりわたしたちは「社会性のない社会的動物」という矛盾だらけの存在です。だから人間関係のトラブルは決して避けられないのです。

しかし少しでもよくする方法はあります。まず、人間関係のトラブルに対しては、決して後回しにしないこと。問題は、避ければ避けるほど、どんどんひどくなってしまうからです。だから「人間関係の問題は、恐れずに立ち向かって解決するぞ」と決心して、できるだけ早く対処することが大切です。

次に必要なのは、人間関係のトラブルの原因を見極めることです。

人間関係を客観的に見るために、ミツバチの社会と比べてみましょう。ミツバチも人間と同じように、みなで仕事を分担し合って、各自の仕事をきちんとこなして生活しています。でもミツバチの社会は、人間の社会のような争いがありません。ミツバチの社会で、ハチ同士がお互いにケンカをしたとか、殺し合ったとかいう話は聞いたことがありません。

ミツバチの社会は、それぞれに厳密に役割が決められていて、分担の仕方を変えたりはしません。「わたしも女王になりたい」などと考えている働きバチはいません。働きバチはみんなメスなのですが、みんな何の不満もなく、淡々と自分の仕事をしています。

群れがある程度大きくなると、もう一匹の女王バチが現れて、他の場所に巣を作りますが、それによって戦争が起きたりケンカになったりはしません。

人間社会は、個人の間でも地域や国の間でも、争いごとが絶えません。ミツバチと人間の社会を客観的に比べると、ミツバチのほうがどう見ても高級な社会です。

本当は、わたしたちも、ミツバチのように仲良く暮らしたほうがいいに決まってるのですが、人間にはなかなかそれができません。

それは、人間は「わたしが」「俺が」、つまり『自分』という思いが、とても強いからです。

自分が一番かわいい、というのはすべての生物に共通する特徴ですが、人間の場合は、発達した脳細胞のおかげで、そこに非常にたくさんの余計な概念をくっつけてしまうのです。この概念が、問題の根源です。

ミツバチを観察すると、彼らは余計な思いを持たずに自分の役割を果たしています。幼虫を育てるハチは幼虫を育てる、蜜を集めるハチは蜜を集める。巣の管理をするハチは巣の管理をする、警備をするハチは警備をするなど、きちんときれいに役割分担されています。ハチたちは、「わたしは偉い」「わたしは違う仕事がしたかったのに」などとは考えません。

これに対して人間は、「わたしは主婦だ」「わたしは社長だ」「彼女は金持ちだ」「わたしの子どもは頭がいい」などと、余計な概念をたくさん作り出してしまいます。そして、この概念を根拠に、不満をつのらせたりするのです。

例えば家庭の主婦は、「みんなわたしに感謝するどころかあれこれ文句ばかりいって……」とか、「なぜわたしだけが毎日ご飯をつくらなければならないの……」と不満をつのらせます。

会社の社長も「わたしは社長なのに、社員はなぜわたしの指示に従わないのか……」とか「業績が向上したのはわたしの功績なのに、なぜ世間の評価は低いのか……」と不満が止まらなくなります。

主婦は、「わたしは料理を作ることになっているから作るだけだ」と考えれば、それほどストレスをためこまずにすむはずです。社長も、「自分は社員の面倒をみて会社を管理運営する役割。ただそれだけのことだ」と自分を大きく考えないならば、とてもうまく生きていけるはずです。

仮に父と子で同じ映画を観ても、父親と子どもでは、観ているものは違うはずです。人間の作り出した概念というのは、客観的な事実ではなく、ただの主観的な幻覚のようなものです。

戦争や紛争の原因は、たいてい概念にあります。共産主義だ資本主義だと争う、宗教が違うと争う、民族が、人種が違うと争う。これらはすべて概念に基づいて他を差別することから生まれています。

それほど大げさではなくとも、「わたしは女性だ」とか「わたしは若者だ」という概念を頭に抱いたとたん、人間は自分と他を区別しています。そこには「自分のほうが正しい」という気持ちと、他を差別する気持ちが生じています。争いの種が蒔かれているのです。

これが人間関係が難しいことの原因です。そしてこういう概念に囚《とら》われているということは、人間はみんな自己中心的ということでもあります。みんなわがままで自分勝手なのです。こんな自分勝手な人間が人と付き合いたい、付き合わなければ生きていけないというのは、いいかえれば人との付き合いによって自分が得をしたい、と考えているということでもあります。

だから「どうすれば人と上手く付き合えるか」というのは、結局は「自分のわがままをどうすれば人が満たしてくれるか」ということなのです。

そしてこれは自分だけでなく、他人もみんなそうなのです。人間関係の悩みを解消したいというのは、「わたしはわがままですが、世の中の他の人はわがままになってはいけません。わたしのために」といっているに等しいのです。

自分の本当の姿に気づいた人は、悪いところに気をつけて立派な人間になっていきます。ですから本当の姿を見てください。本当の姿とは、自分は本当はすごく嫌な人間だということなのです。

人間関係においては誰もが有罪で、無罪の人はいません。自分が嫌な思いをしているだけでなく、自分も他人に多かれ少なかれ嫌な思いをさせているのです。そのように自分がわがままであることを知り、そのために人間関係がうまくいかないことにまず気づくこと。これが出発点となります。

第十四夜

相手にすべき人と そうでない人がいる

批判されても気にすることはないのです。
世間からすれば、あなたはどうでもいい存在ですから、
無責任にいいたい放題なのです。

他人の目を気にする人は多いものです。

自分が他人からどう思われるのか、どんなふうに見られているのか。そう思うと不安で仕方がないというのは、その人に自信がないからでしょう。

お釈迦様は「理性のある人に批判されないようにがんばりなさい」とおっしゃっています。つまり、理性のある人からどう思われるか、ということだけに気をつけていればよろしいということです。

この教えをわたしが翻訳するとすれば、「理性のない人にどういわれようが、どう思われようが気にすることはない」ということになります。他人を無視するのではなく、かといって、気にしすぎるのもよくない。

人間は不完全ですから、毎日学ばなければなりません。その場合、自分より能力のある、頭のいい、経験のある人から学ぶのです。だからそういう人々のことは気にするべきなのです。そういう人々に批判されたら、真剣に受け止めなくてはいけません。

しかし、周囲の人すべてが気になるというのは、正しくありません。

世間は理性のかたまりではないから、世間に批判されても気にすることはないのです。世間の人からすれば、あなたはどうでもいい存在ですから、無責任にいいたい放題です。そういう意見は「あ、そう」と受け流して、好き勝手に言わせておけばいいのです。

そのかわり、自分のことを心配してくれて、自分をなんとか成長させようとしてくれる親や先生、自分より能力のある目上の人のいうことは気にするべきです。

例えば、お母さんの言うことをよく聞く子どもは、それだけでいい子に育つかもしれません。なぜなら、そのお母さんは、その子のことを心配しているからです。不幸になってほしくないという気持ちがあるから、あれこれいうのです。お母さんに怒られないようにがんばれば、その子はよい方向に成長すると思います。

人間は、自分のことであっても、はっきり知りません。

自分のこともろくろく観察していないのに、どうして自分以外の人が自分のことをわかるというのでしょう。

わかりやすい例を挙げましょう。

ある女性が高いブランドの服を買ったとします。苦労して分割払いで買う。ブランドの服だから、自慢げに気分よく会社に着ていきますね。それなのに周りの人は「似合わないなあ」「ちょっとセンス悪いんじゃない」なんて無神経なことを平気で噂します。でもそんなことは無責任に言っているだけなんだから、いちいち気にすることはないのです。

せっかく高いお金を払って分割払いで買ったのに、そんな無責任な言葉に惑わされたら、せっかくの服はどうなりますか。気にする必要はぜんぜんありません。

しかし、自分のことを心配して真剣にアドバイスする人がいて、その人が「その服ではだめですよ。印象が悪く見えますよ」「派手に見える服よりも、もっと仕事にふさわしい服がありますよ」といったら、その言葉は気にしなくてはいけません。ましてや、決まりごとがあれば、好き勝手な服装はできないでしょう。

仏教では、「有学無学《うがくむがく》」という言葉があります。

「無学」というのは悟りに達した人のことです。無学とは学ぶことがないという意味で、学ぶことを完了した状態です。「有学」というのは、完全に悟ってはいない、解脱《げだつ》していないからまだまだ学ぶものはあるという状態です。つまり、悟っていないのだから学ぶことがあるという意味です。

人間は学ぶものです。人間は日々、もっとレベルの高いことを学んでいかなければなりません。その場合、物事をよく知っている人から学ぶのであって、無責任な世間や周囲の言葉に惑わされることはないのですよ。

自分のことを心配してくれる人の言葉に、よく耳を傾けてみてください。あなたを成長させてくれるヒントがかくれているはずです。

❖なぜ人の目が気になる？

そうは言っても、「人の目が気になる」「人の批判に落ち込む」という悩みを抱える人は、本当に多いのです。

特に若い女性ですね。「他人が自分のことをどう思うか」ばかりを考えて、日々を過ごしてしまっているような人が多い。これは自我意識がありすぎる人に特徴的な症状です。過剰な自我意識をなんとかしないと、なおりません。

自我意識というのは「自分」や「わたし」という意識のことで、「アイデンティティ」とも呼ばれるものです。自我意識とは、「わたしは田中です」から始まる、自分自身を定義するものです。世の中では「わたしはどういうもので、こういうことをやりたい」というアイデンティティをしっかり持っていることが良いことだとされています。

心理学の本なども、こういうことをよく書いているのですが、これは半分あたっていて、半分間違っています。

自我意識がしっかりするのはいいのですが、あまり過剰になると「エゴ（仏教のことばで、「我執《がしゅう》」）」になってしまい、かえって問題となってしまうのです。

ですから、「自我意識はよくとも、それが増長してエゴになるとだめだ」としっかりと覚えておいてください。エゴイストでは、何事もうまくいきません。「わたしにはこういう能力があるから、こんなことがしたい。こういう人生にしたい。そのためにはこういう仕事や勉強をしたい」という具合に、自分を客観的に見て、それを基準に人生のプログラムを組み立てるのはいいのです。

ところが、「わたしにはこういう才能があるに違いない。その才能で、こんなことをしたい、いやできるはずだ」と自分をよく見ずに決めつけてしまうと、エゴが全面に出てきます。こうなると、いろんな問題が出てくるのです。

さきほどの女性は、「わたしはこんなに美しい、こんなに性格がよい。だから人に好かれる、好かれるべきだ」という思い込みが頭の中に固着してしまっているのです。エゴにとりつかれると、「自分は一番、自分は価値がある、自分は偉い」という妄想にとらわれてしまいます。ここからは生産的なものは何も生まれません。

自我、つまり自分という実感が人間のすべての問題の原因なのですが、エゴはそれを究極にまで推し進めた形なのです。エゴにとらわれてはなりません。

第十五夜

友人には「本物」と「ニセモノ」がいる

自分の向上につながる関係を「友人」と呼ぶ。
ただつるんでいる、自分の利益のためにつながる人は、
「悪友」であるから断ち切ったほうがよい。

仏教では「良い友人」と「悪い友人」とをはっきり分けるよう教えています。良い友人というのは次の四つの人たちです。

①兄のような友だち
②双子のような友だち
③先輩のような友だち
④妹のような友だち

兄のような友だちとは、あなたが困ったときに助けてくれる頼もしい人のことです。双子のような友だちとは、苦楽をともにし、平等で自分と相手の区別なく同じ気持ちでいられる人です。

先輩のような友だちとは、悪いことはさせず、良いことは強引にでもやらせて応援するような、良きアドバイスをくれる人。そして、妹のような友だちとは、自分に責任感を与えてくれて、成長させてくれる人です。

この四つの特色を持つ人たちは、本物の友だちです。けれども、とてもうるさくて厳しくもあるのです。それはあなたのことを思っているからこそですね。現代人は、そんな友だちをうるさがって、いやがるかもしれません。でも、こういう人たちこそ宝物なのです。自分の命のように守らなくてはいけない存在なのです。ここまでしてくれる友だちというのは、なかなか見つかりませんよ。

ただの友人関係だと、どちらかに負担がかかることになります。もしあなたが負担を感じることがあれば、あなたが友だちだと思っているその人は、残念ながら友だちではないでしょう。

なぜなら、負担のかからないのが友だちだからです。

ですから、まずわたしたちがやることは人間関係をつくることです。自分が寂しくならないように知り合いをつくっていけば、その中から、友だちになる人々は現れてきます。

とかく、子どものころの友だちのほうが、大人になってできた友だちより付き合いが深いというようないい方がありますが、そんなことはないと思います。幼なじみというのは、小さいころの自分を知っているから見栄を張らなくてもいいし楽といえば楽です。でもそれだけのことでしょう。

友だちというのはいつの時点でもつくれるものです。年を取って、おじいさんやおばあさんになってからでも十分につくれます。

知り合いはたくさんいたほうが、その中から一人二人と、友だちができる可能性が増えるものですから、まずは知り合いをたくさんつくること。それが友だちをつくる近道なのです。

❖友人の皮をかぶった四つのタイプ

次に「悪い友人」つまり「悪友」の話をしておきましょう。

悪友とは、自分の利益のために人付き合いをする人のことです。金を要求したり借金をしたり、悪いことを応援するとか、ただおだてるだけだったり、お世辞をいうだけだったりする、そういうのは友だちではないのです。

だから「悪友はすぐに切りなさい」とわたしはよく言います。

でも**人間は不思議なもので、いい人とはすぐにケンカをしますけれど、悪友とは絶対関係を切らないのですね。**

悪友というのは、本当はあなたにとって敵です。これがはじめから敵だとわかる人ならば、そんなに心配しなくてもいいのです。社会で生きていくうえでそれほど邪魔にはなりません。

気をつけなければいけないのが、一見、友人の皮をかぶっている場合です。とくに危険な四つのタイプについてお話しましょう。

①持ち逃げ屋
②おしゃべり屋
③おだて屋
④地獄への呼び込み屋

これらはみんな、友だちの皮をかぶったニセモノです。

持ち逃げ屋は、あなたの家に来たらかならず何か持っていく人です。じゃがいもでもにんじんでも上手に持っていく。こういうのは、人間関係・友人関係において自分の得になることだけを考えている人のことです。

おしゃべり屋とは、口先だけの人です。あなたからの頼みごとをはじめから聞くつもりもないのに、「昨日だったらできたのに」「明日ならできるんだけど」といかにも忙しいふりをして断る。あるいは、本音をいわないかわりに適当なことをべらべらしゃべってごまかす。

おだて屋は、あなたの好みに合わせてしゃべるだけのお調子屋です。いいことでも悪いことでも、口だけで応援する人のことです。応援されれば気分がいいでしょうけれど、何に対して応援しているのか、友だちだと思う前に、そこもチェックしてください。

地獄への呼び込み屋とは、酒や賭け事や夜遊びなどの悪いことをするために仲良くする人々のことです。

お釈迦様はこのようにおっしゃっています。

「あるグループを見ると、グループ全体の性格がわかる」と。

これはこういうことです。ある人が、これから友だちに会うという。会って何をするのかを聞いて、もし「酒を飲みます」といえば、それは酒飲みのグループです。あるいは、「競馬をする」といえば、賭け事の好きなグループだとわかるわけです。ですから、過激なことに加わっている人であれば、そこは破壊的なことが好きなグループだとわかるのです。一人の性格を見れば、全体を理解できる。また逆に、グループの全体を理解すると、一人ひとりの性格も理解できる、という意味でもあります。

グループを組むということは、互いの性格や波長が合うから組むのであって、仮にその人が、あなたに対しては破壊的なことをしなくても、そういうグループにいるだけで、すでに要注意だということです。

日本人は人間関係に飢えているなと思わされるのは、人間関係を求めて新興宗教やカルト教団などに入る人が多いからです。しかも、一度そういうところに入るとなかなか抜けられない。なぜ、常識的な社会で人間関係をつくっていかないのでしょう。

新興宗教やカルト教団の教えは、いい加減で、屁理屈で、迷信妄信で神秘主義で、非論理的です。わたしにいわせれば、相当頭が悪いのです。

オウム事件でも、医者が人を殺したでしょう。すぐれた頭脳を持つなら、その能力をすぐれた仕事をするために使うべきなのに、なぜ違法なことをするために自分の能力を使ったのでしょうか。悪い仲間の影響でしょう。

ですから、悪友はいますぐ絶つ。友人が一人もなく孤独でいても、悪友は危険です。悪友を絶つ勇気をもって、新しい人間関係を築いていってください。

❖先生と友だちになる

弟子入りというシステムが、日本にはありますね。落語とか相撲とか、とくに芸事《げいごと》の世界では、誰某《だれそれ》を師匠として入門するでしょう。

これはさきほどからわたしがいっている、仏教的な意味での「友だち」とよく似ていると思います。自分が目標とする人間になれるために、自分を成長させてくれる人が師匠なわけですから「あの人から学びたい」という気持ちが根底にあるものです。

しかも、弟子入りの場合、簡単には認めてもらえませんね。それでもめげないでとにかくがんばる。そこでようやく入門を認められても、そこからさらに兄弟子にいじめられたり、雑事をさせられたり、いろいろな困難が待ち受けています。それでも本人に成長したいという覚悟があれば、やがて師匠は弟子として正式に認めてくれます。

ですから、自分が向上したいと思うなら、目上の誰かに強引にアプローチしてみればいいのです。本当にその覚悟があるのかどうかを、向こうは試します。それでも辛抱強く踏みとどまって、自分が成長するまでそこで修行する。そうすると向こうは「一心同体」と認めてくれるのです。

そのようなわけで、友だちというのはできる限り、目上の人のほうがいい。目上の人が友だちというと、日本語でいうと妙に感じるかもしれませんけれど、仏教でいう友だちというのは、そういうものなのです。

このような友だち関係は、けっして同格ではありません。同格の人同士がグループを組んでも、成長がないでしょう。人は学ぶべきものだというのが仏教の基本ですから、そこから脱線してはいけないんですね。

もちろん同格でも悪くはありませんが、友だちというのは、自分よりもちょっと上のほうがベターです。そうするとケンカにならない。大学生が高校生に勉強を教えてあげるのに、衝突したりしませんね。同じ高校生同士だとケンカになる可能性があります。同格だとそういう恐れがあるのです。

先生と友だちになるのは、決して悪いことではないのです。

第十六夜

友人づくりはまず人間関係づくりから

水田もないのに稲はつくれません。友人をつくりたいのなら、まず自分の周囲にしっかりとした人間関係をつくることです。

生きるうえで友だちは必要です。

友だちなしに生きていくのは、とても難しいことです。なぜなら、友だちがいればすごく楽になれるからです。

例えば、自分が悩むことがあるとします。それを友だちに話すだけで、ずいぶん気楽になれるんです。明日からがんばるぞという気分になれます。この人がいてくれるおかげで、気持ちがよくて気が楽になる。ということは、その友だちは相手の苦しみを受け取ったということになるのです。それでもその人には、なんら負担はかかっていない。

友だちは成長するために必要な人間関係なんですね。

友情というのは不思議な関係で、自分に負担があれば半分に減らしてくれる。「この人の悩みを半分背負わなくちゃ」と思っているわけでもないのに、その人といっしょにいると、精神的に楽になれる。本当の友人というのは、そういうものです。ですから友人はいたほうがよろしいのです。

でもいまの人は、なかなか友だちがつくれないといいますね。

一つ質問を出しましょう。

鳥たちはどんな木に寄ってくるでしょうか。実の成っている木ですね。鳥たちや虫たちが寄ってくるから、木は寂しくないのです。

人間もそれと同じことです。その人に実があれば人は寄ってきます。でも何もなければ寄ってこないのです。友だちがいない人は、わがままで自分のことばかりに心が向かって、挨拶をする気も起こさせないような人だったりすることが多いんですね。

ですから、友だちをつくるには、まず仲間をつくることです。バンドをやったりコーラスをやったり、ダンスの仲間だったり、みんな何かしらの共通点があって、そこから人間関係を築いていくでしょう。

だからまず、人間関係をつくることです。

会社だったら同じ会社の人同士、同じ職場の人同士でお互いに話をしてみる。子どもたちだったら、学校のクラブ活動や部活動で仲間ができますね。仲間というのはあくまで人間関係ですから、その中から友だちが見つかるのです。

ですから、深くつきあえる友だちがいないと嘆く人に、わたしはこう聞きます。

「稲をつくりたいと思ったって、水田もない人がどうやってつくるのですか」と。

稲というのは、まず生育できる水田があってからつくるものでしょう。だから、友だちがいないと悩んでいる人の基本的な問題は、そもそも人間関係を築けていないことにあるんです。そこでつまずいたら友だちはできません。

まずは人間関係、知り合いをつくることからはじめてみてはどうでしょう。

人間関係ができると、意外と簡単に友だちは見つかります。

夫婦だって友だちにはなれますよ。その場合は、助け合ってお互いを成長させますからね。奥さんのよくないところは夫がかばってあげて、助けて直してあげられる。もちろんその逆も可能です。

友だちをつくるのが難しいという人は、「誰とでも仲良くする」ということと混同していることが多いのです。**誰とでも仲良くすることと、友だちになる**

ことは違います。七、八人まではただの「知り合い」であって、その中からたった一人を選ぶのが「友だち」です。全員と仲良くやろうとすると、疲れてしまいます。

相手と自分を性格的に当てはめてみてうまくいけば、友だちになれます。だから必ずしも似た者同士である必要はないのです。自分が無口で相手がよくしゃべる。それでもどこか合うということはよくあることです。その人は人の話を聞いているのが楽しいんです。

あるいは、なかなかやる気の起きない、腰が重くて人にはっぱをかけられなくては仕事に取り掛からない、そんな人には、ある日、活発な人が現れるんですね。それで友だちになれるということはよくあります。逆に、活発すぎる人にはちょっとクールダウンさせてくれるような人が出てきて、コントロールしてくれる。

お釈迦様によると、友人によって自分が成長するというのです。自分の欠点がなくなって、短所が長所になったり長所がさらに伸びたりする。単に波長が合うだけの相手とでは、そうなりません。友だちにするなら、波長が合わなくてもいいから、いっしょにいるだけで気持ちが楽で、自分の欠点がなくなって長所が伸びていくような人がいいのです。

❖必ず人に好かれる方法

友だちをつくったほうがいいことはわかるけれど、普通の人間関係でさえ難しい。そういう方のために、お経に出てくるみんなの人気者、ハッタカ君の話をしましょう。

ハッタカ君はハッタカ・アーラワカという名前の若者で、赤ちゃんの時にお釈迦様に抱いてもらったことがあるのです。これはとても珍しいことで、ハッタカ君は大きくなってからも、お釈迦様にとてもかわいがられたそうです。

このハッタカ君は、とても多くの人に好かれていました。どこに行ってもたくさんの人がまわりに集まってきて、にぎやかなのです。

あまり人気があるので、ある人がお釈迦様に訊《き》いたのです。なぜハッタカ君は人気があるのかと。するとお釈迦様は、「ハッタカの心の中にちょっとした秘密があります。ハッタカは四つの真理の生き方を守っています。だからあれほど人気があるのです」とお答えになったそうです。

その四つとは、ダーナ（布施《ふせ》）、ペィヤワッジャ（愛語《あいご》）、アッタチャリヤー（利行《りぎょう》）、サマーナッタター（同事《どうじ》）です。どこかで聞いたことがありますね。そう、第七夜で人格を高めるためにすべきことの一つとして紹介した「四摂事」です。順番に説明してみましょう。

「ダーナ」というのは、日本の仏教経典では「布施《ふせ》」と訳されていますが、もともとは英語のgiveに相当する語です。つまり、何かをあげる、ということですね。ハッタカ君はいつでも人を助ける行動をしていたそうです。助けるといっても、その人にできることならなんでもいいのです。何か知りたい人がいたら知っていることを教えてあげる。手伝ってほしいと思っている人がいたら手伝ってあげる。そのため彼は人に好かれて、人が集まってきていたわけです。

人に何も与えないで、「人間関係がうまくいかない」と悩んでいる人々がたくさんいます。何も与えない人は、他人から見ると、「いてもいなくてもいい人」になってしまいます。与えるという行為によって、社会の中でいろいろないい関係が築けるのです。

二番目の「ペィヤワッジャ（愛語《あいご》）」とは、美しい言葉、相手が喜ぶ言葉をしゃべることです。腹が立ったときでも、相手をけなさないように、プライドを傷つけないように言葉を選ぶ。

誰かを叱らなければならないときでも、相手の人格を大事にして、人間としてのその人の立場を大事に守りながら叱ります。自分の子どもであろうが部下であろうが、同じ人間です。相手が傷つく言葉を使ったら、叱った人のほうが間違っているのです。誰でも失敗するのですから、失敗を怒ることができる人はいないはず。怒って叱りつけるのではなく、「間違いを正してくれて優しい人だ」と相手が感謝してくれるように教えてあげるのです。

ハッタカ君は、人に対していつも優しい言葉でしゃべっていたのですね。これだけでも大変な人気者になれるのです。

三番目の「アッタチャリヤー（利行《りぎょう》）」は、「人のためになる生き方、人の役に立つ生き方」という意味です。ムダな行動をしないこと、役に立つことをすることです。この世の中はムダなことだらけです。お金が儲かればなんでもいい、という価値観ですべてが作られています。流行に乗っていれば、どんなにくだらない内容の本でもベストセラーになってしまいます。

ムダ話、ムダな勉強、ムダな商品、ムダな仕事、ムダな工事……これらのことから身を遠ざけることです。本当に必要なことを徹底的にやる人は、他人にとって必要な人になります。

世の中にはたくさんの人間がいますが、「あの人がいなければわたしたちは困る」という人はほとんどいません。あなたがそういう人になれば、求めなくとも人々が周囲に集まってきます。

四番目の「サマーナッタター（同事《どうじ》）」とは、「どんな人も、どんな生命も平等だ、同じだ」という気持ちで生きるということです。

ハッタカ君はリーダー的な存在ではありましたが、親分肌ではありませんでした。みんなと友人として、兄弟として、平等に付き合っていました。だからみんなが彼のところに集まってきたのです。みんなと対等な友人として付き合ってくれるので、一緒にいると楽しいのです。

以上が人気者になるための四つの秘訣です。もう一度繰り返しますと、ダーナ（布施）、つまり、いろいろ自分にできるやり方で人を助けること。ペイヤワッジャ（愛語）、つまりよく考えて、相手の喜ぶことを話すこと。アッタチャリヤー（利行）、つまり人の役に立つ人間になること。サマーナッタター（同事）、つまり平等であること。

これは、あらゆる時代、あらゆる場所で通用する教えです。どれも難しいことではありませんよね。今日からでもすぐ実行してみてください。きっとすぐに効果が現れますよ。

第十七夜

人間関係を驚くほど改善する「慈悲」の力

慈《いつく》しみは人間を成長させます。

そういう目標に向かってがんばっている人に対して、周囲は賛成し、応援して、認めてくれるものです。

仏教では慈悲《じひ》の心を非常に大事にします。慈悲というのは、自分以外の人が幸福を感じるように行動することです。

仏教では慈悲をかならず実践するものとしてとらえています。信仰があってもなくても、人間は慈悲を実践するべきである。それが生命への尊厳であり、いわば生命界の憲法のようなものです。

人間が生きるための権利ですから、それを認めなければ自分自身の生きる権利が危うい状態にさらされるものと考えます。ですから、自分で生きる権利を守るために、慈しみを実践するのです。

具体的にいうとこういうことです。

人間は、幸福になりたい、苦しみは受けたくない、という本能的な希望を持っている。それはあなた一人だけの希望ではなく、だれもが望んでいる希望です。人間であれば地球上の誰もが、同じ希望を持っているのです。

人が一番うれしく思うことは、他人が自分に対して親切にしてくれることです。助けてくれることです。応援してくれることです。過《あやま》ちを許してくれることです。それらを自分から他人に対しても実践してください。それが慈しみなのです。

慈悲に基づく行為は、だれからも喜ばれます。

ですから今日から実践してみてください。そうするとたちまち、あなた自身が自由な気分になって、明るい気持ちになれるのです。慈しみのある目標は人間を成長させます。そういう目標に向かってがんばっている人に対して、周囲は賛成して、応援して、認めてくれるものです。

❖慈悲を育てる

もう少し詳しく、慈悲についての仏教の考え方を説明しましょう。

慈悲について、仏教では四つに分類してとらえています。**四つの慈悲とは、慈《じ》（メッター）、悲《ひ》（カルナー）、喜《き》（ムディター）、捨《しゃ》（ウペッカー）です。**

慈とは、慈しみですが、もともとは「友情」という意味なのです。ここでいう友情とは、何か良いことをしてあげたかわりに相手を縛るような友人関係ではなく、相手と対等に付き合う関係です。

もし友だちを助けてあげても、「友だちだから当たり前だ」とお互いに気楽でいられる関係です。「この間わたしはこういうことをしてあげたのだから、今度はこれをしてくれ」というような見返りを求める関係ではありません。

慈とは、どんな人とでも友人のように、何となく優しくお互いにストレスを感じずに付き合う優しい心です。誰とでもそういうふうに付き合えれば、レベルの高い人間関係が生まれてきます。

二番目の悲（カルナー）は、「助ける」という意味です。困っている人を、損得勘定抜きに手助けしてあげる。自分の利害を考えずに助けてあげることです。

そのときに「この代わりに××をしてもらおう」と思ったら、とたんに損得の関係になってしまいます。そうではなくて、「この人はわからなくて困っているのだからちょっと手伝いましょう」と何の見返りも考えない軽い心で相手を助けるのです。

他人を助けることこそ、わたしたちの人生に意味をもたらしてくれる行為です。ですから、「助ける」という心を育てることは、大変すばらしいことなのです。

三番目の喜（ムディター）は、人の幸福を喜ぶ心です。これについては、次項でお話しします。

四番目の捨（ウペッカー）は、差別のない心です。誰に対しても平等に見ることのできる心です。

差別はまったく無知で愚かな考え方です。心から一切の差別を取り除くと、それだけでかなり大きな人間になれるのです。

この慈悲喜捨《じひきしゃ》のこころを育てると、狭い小さな社会だけで通用する人間ではなく、地球スケールの大きな人間になれます。真に幸福な人間になれるのです。

第十八夜

他人の幸せを喜ぶ

他人の成功に嫉妬したり、
憎しみや恨みを持ったりする人は、
自分自身を破壊しているのです。

嫉妬。それは恐ろしい思考です。

それは人間でいながらにして「餓鬼《がき》」になるということです。これはちょっと神話的な話ですが、日本仏教でいう餓鬼道の餓鬼たちというのは、嫉妬や落ち込みなどをエネルギーにして生きているという言い伝えがあります。

もちろんそんな餓鬼は実際に見たことはありませんけれども、そうした戒《いまし》めはよく理解できます。もし人が、他人の幸福を見て落ち込んだり、気分が悪くなったりするならば、その人には、救いの道がどこにもないのです。

なぜなら、どこを見まわしてもみんながんばって生きていますからね。成功して輝いている人、美しい人、カッコイイ人はそこらじゅうにいます。そんな人々を見て、いちいち羨《うらや》んだり落ち込んだりしていたら、生きていくことがしんどくてしょうがないでしょう。

仏教の考え方からすると、人の成功に嫉妬したり、憎しみや恨みを持ったりする人は、自分で自分自身を破壊しているといえます。いわば自分が毒の中に沈んでいるのと同じことで、自分で地獄の世界をつくっているわけです。自分で餓鬼道をつくって「苦しい、苦しい」と言っているわけです。

そこから脱するためにはどうしたらいいでしょうか。

それは人を羨むのではなく、その人から学ぶこと。それしか答えはありません。餓鬼道から抜けるには、本人が努力しなくてはいけないのです。誰も救ってはくれません。お釈迦様も救ってくれません。自分でがんばらなくてはいけないのです。

それをお釈迦様は明確に、「人の幸福を自分のもののごとく喜びなさい」と教えたのです。それが慈悲の心を育てる実践の一つなのです。

人の成功をうらやむということは、すなわち、自分自身の失敗を認めていることでもあります。成功している人がいたら、その人から少しでも学べばいいのです。親や先生といった目上の人は、羨む対象ではありません。

なぜなら、無知無明にうごめく人間は、自分より経験も知慧《ちえ》もある先達から学ばなくては成長できない生きものだからです。

ですから、自分の周囲を見回してみてください。そこに目上の成功者がいるならば、仲良くしてもらって、いっしょに飲みに行ったりして、いろいろなことを教えてもらうといいんです。人の成功を評価する人は、必ず成功するからです。

生まれたばかりの赤ちゃんは何もできません。でも、生まれてから毎日毎日学んでいるでしょう。そうやって死ぬまで学ぶんです。自分よりすぐれている人、経験のある人に対して、嫉妬や恨みなんかを持っていたら何も学べません。それでは幸福な人生など送ることはできません。

人を羨む気持ちが生まれたらどうすればいいか。まず、猛毒だと思ってすぐにつぶすことです。そして、相手の成功を自分のことのように喜ぶ。嫉妬なんかしている自分がいたら、すぐに情けないと思うんですよ。お釈迦様がいうように、人の幸福を自分のことのように喜べたら、生きることが楽しくてたまらなくなりますからね。

❖ムディターで人生は楽しくなる

前項で四つの慈悲について説明しました。そのうちの一つ、「喜(ムディター)」について改めてとり上げましょう。自分の心がとても簡単に喜びを感じることを、仏教では「喜(ムディター)」といいます。自分自身のことしか喜べない人間は、なかなか幸せになれません。なぜなら自分以外の世界全部を恨むことになりますから、キリがないのです。世界を、人類を、一切の生命を敵にしたら、負けるに決まっています。

人のことを嫌だと思ったり、憎んだりするというのは、その人だけでなく、自分の存在をも否定することになります。わたしたちは他の生命に支えられて生きていて、その支えがなくなれば生きていけないからです。だから「あなたがたのことを嫌いですよ」というのは、わかりやすくいえば、「あなたはご飯を作ってくれるけど、あなたのことは大嫌いだよ」というようなものなのです。

こういわれたら、誰だってご飯をつくってあげようとは思わないでしょう? 「あなたを信じていません。あなたはわたしのライバルです」といってくる人に、どうしてご飯を作って食べさせてあげたくなりますか？

だからこそ他人の成功を喜ぶべきなのですが、なかでももっとも良いのが「喜(ムディター)」です。他人の成功、他人の幸福に、簡単に、すぐ喜びを感じられるようになると、無限に喜べるのです。人間に必要なのは、無限の喜びです。自分だけでがんばって成功して喜びを感じても、そんなものはあっという間に終わってしまいます。そうではなくて、他人のちょっとしたことでも喜べるように自分の心を訓練する。そうすると、喜べることがいくらでも増えてきますよ。

ある日、葉っぱの上に毛虫を見つけました。毛虫は葉っぱを食べていたんですが、葉っぱが風に揺れて、落ちそうになっていました。

毛虫は一度地面に落ちてしまうと、おそらくもう元の葉っぱには戻れなさそうでした。人間から見たら大したことではないけれども、毛虫にとっては、葉っぱから落ちたら生命は終わりです。しかし、わたしが見ていると、この毛虫はなんとかがんばって落ちないですんだのです。わたしはその時、「ああ、毛虫君が助かった！　これからたくさん葉っぱを食べて、無事サナギになってくれるといいなあ」と喜びました。

こんなちょっとしたことでも喜びを感じることはできるのです。こういう境地になると、生活は喜びに充ち満ちてきます。世界人類すべてがこうなら、世界は本当に暮らしやすい、良いところになっていきますよね。

何にでも喜びを感じるには、いくつか方法がありますが、「慈悲の瞑想」という方法もあります。これは、「わたしは幸せでありますように」から始まる言葉を自分に言い聞かせて自分の心を育てる、という瞑想ですが、ちょっとだけその方法をお教えしましょう。

たいていの人は、幸せを願うときのエネルギーは、自分のことなら100パーセントで、親しい人々なら50パーセント、他の人なら0パーセント。嫌いな人なら逆にマイナスで、むしろ怒りが湧いてくるものです。

「慈悲の瞑想」では、こういう精神のあり方を徐々に直していきます。最初は自分の幸せを祈る強さと、他の幸せを願う思いの強さに差があるわけですが、じわじわと訓練して、「自分」に向ける強さと「親しい人」に向ける強さを同じに持っていきます。

そうすると、どんな自分勝手な人でも、その50パーセントくらいは「生きとし生けるもの」に向けることができます。

さらに訓練を続ければ、ほぼ100パーセントの思いを、「生きとし生けるもの」の幸せに向けることができます。つまり、「わたしは幸せでありますように」と念じるときに出すエネルギーと、「生きとし生けるものが幸せでありますように」という時に出すエネルギーが、まったく同じになるのです。

その瞬間に、その人のすべての精神的な悩み、苦しみはぜんぶ消えて、何の問題もなくなっているはずです。一人の人間としての問題は、すべて消えるのです。

ここで、「慈悲の瞑想」をご紹介しましょう。声に出さなくとも、念じるだけでいいんですよ。

わたしは幸せでありますように

わたしの悩み苦しみがなくなりますように
わたしの願い事が叶えられますように
わたしに悟りの光が現れますように
わたしは幸せでありますように（三回）

わたしの親しい人々が幸せでありますように
わたしの親しい人々の悩み苦しみがなくなりますように
わたしの親しい人々の願い事が叶えられますように
わたしの親しい人々にも悟りの光が現れますように
わたしの親しい人々が幸せでありますように（三回）

生きとし生けるものが幸せでありますように
生きとし生けるものの悩み苦しみがなくなりますように
生きとし生けるものの願い事が叶えられますように

生きとし生けるものにも悟りの光が現れますように
生きとし生けるものが幸せでありますように（三回）

わたしの嫌いな人々も幸せでありますように
わたしの嫌いな人々の悩み苦しみがなくなりますように
わたしの嫌いな人々の願い事が叶えられますように
わたしの嫌いな人々にも悟りの光が現れますように

わたしを嫌っている人々も幸せでありますように
わたしを嫌っている人々の悩み苦しみがなくなりますように
わたしを嫌っている人々の願い事が叶えられますように
わたしを嫌っている人々にも悟りの光が現れますように

生きとし生けるものが幸せでありますように（三回）

言葉そのものは全然難しくないでしょう？　でもそこには深い意味が込められているのです。特にすごいのは、「わたしの嫌いな人々、わたしを嫌っている人々」の幸せを願うところ以降です。

「生きとし生けるもの」の幸せを１００パーセント願えるようになっていれば、嫌いな人に対しても、マイナスのエネルギーを持てなくなります。さらに続けると、「この人を嫌ってはかわいそう。わたしのことを嫌っているこの人はかわいそう」と、愛情すら感じるようになります。

こうして、自分や自分に身近な現象だけでなく、自分に関係ないもの、さらには自分の嫌いなものの幸せも願えるようになる。すると、そうなった人はもう「精神的に健康な人」どころではなく、敵が一人もいない人、社会の中でも、本当の王様のように堂々と生きられる人になります。人間に光を与える、リーダーシップを持てるのです。

いつでも、どこでもいいのです。ぜひ「慈悲の瞑想」を試してみてください。

第4章

働くということ

第十九夜

足を引っ張る人はなくならない

無能な人はどこにでもいるものです。
そういう人は能力がないから、
不道徳な方法で邪魔をするのです。

同僚に邪魔された、上司にいじわるをされた、そんな経験は、みなさんがお持ちではないでしょうか。しかし、そこでへこたれてしまうのは、あまりにつまらないことです。

足を引っ張る人というのは、どこにでもいるものです。なぜそんなことをするのかといえば、その人に能力がないからです。だから汚い手を使って、うまくいっている人の邪魔をするのですね。それは不道徳な行為です。

ところが、あまりにも人の仕事を妨害してばかりいると、全体の計画が崩れてしまうことになります。そんなことになったら、足を引っ張った人も含めてみんなの責任になってしまいます。「邪魔をした」という原因が、「計画が壊れる」という結果を生むのです。

そうならないように、わたしなら邪魔をする人には代案を求めます。「あなたはわたしの計画に反対だというけれど、では、あなたならどんな方法が良いと思うのですか。具体的に教えてください」。

そう尋ねると、能力のない、不道徳な人は適当なことをいって逃げてしまいます。そうしたらこちらの勝ちです。こういうときのポイントは、あくまで理性的にものをいうことです。感情的になったら、何もできませんからね。

あるいは、上司が、単に感情的に気に入らないという理由で、あなたのやることにケチをつけただけなら、その人は上司としての器でもないのに不正に昇格した人でしょうね。さもなければ単に年功序列的に出世した人。

でもそれはそんなに深刻になることはありません。いずれ力のなさが露呈してそれなりの待遇になります。

上司に能力がない場合、わたしにも経験があるからわかりますが、それは下にいる者が、その無能な部分を補ってあげたりすれば、案外、逆に頼られたり重宝がられたりすることもあるのです。ですから、「無能な上司のくせに」と真正面から衝突するのではなく、むしろフォローしてあげる余裕を持つと、意外にうまくいくこともあります。これは仏教的な教えというよりは、わたし自身の体験に基づく話ですけれどね。

ですから、ムカっときそうになったときには、ちょっと深呼吸して力を抜いてみてください。理性をはたらかせれば、あなたにとっていちばん良い解決方法が見えてくるはずです。

❖自分は同じことをしていないか？

他人から足を引っ張られたとき、自分も同じようなことをしていないか、と自問してみることも必要です。

たいていの場合、自分もやはり他人に対して足を引っ張るようなことをしているものなのです。

世の中にはありとあらゆる罰があります。心を傷つけるようなことはすべて罰に入ります。叱ること、批判すること、説教すること、無視することなどは、すべて罰です。

仲間や家族、友人同士の間柄でも、決まりや罰があります。人間というのは、ちょっとグループを作ったら、すぐ「あれはだめ、これはだめ」というルールを作ります。不良少年や、やくざのような集団では、「ルールを破った」といって、リンチをしたりします。

社会の中にいるということは、いつでもどこでも罰せられる可能性があるということです。しかも人は自分が罰せられることを、ひどく嫌がるのです。批判されたり、馬鹿にされることを、とても怖れているのです。

お釈迦様は、「人間だけではなくて一切の生命が、罰せられるのは嫌いだよ、怖がって震えているのだよ」とおっしゃいます。

ところがわたしたちは、自分が他人を裁くことはとても好きです。人を批判するとき、人はとても元気な顔、明るい顔、偉そうな態度をします。そういう態度でいながら、「人間関係がうまくいかない」と悩んでいたりします。**他人を裁いていながら、自分は裁かれたくない。**そういう態度では人間関係がうまくいくはずがありません。

他人をいじめたり、無視したり、馬鹿にしたりする。こういうことはものすごく強烈な罰です。自分が批判されることが嫌ならば、無視されるのが嫌ならば、なぜ他人にそれをするのでしょう。いかなる理由があろうとも、他人を批判すること、裁くことをしなければ、人間関係は好転します。人間関係に関わる問題は、すべてなくなってしまいます。

この「他人を裁いてはいけない」ということは、聖書にも書かれています。イエスも同じことを言っているのです。

他人に足を引っ張られるのが嫌ならば、あなた自身も、他人を裁くのをやめることです。そうすれば、たとえ誰かにいじめられたり批判されたりしても、助けてくれる人がきっと現れます。だから、他人のすることを気にしないことです。

第二十夜

目標を一分単位に分けてみる

目標は現実的に、なるべく小さなユニットに分けましょう。
すると達成感が生まれて、気分よく仕事ができます。

仏教では、常に「現在」のことだけを考えるように、と教えています。将来を悲観したり、過去に起きたことを悔やんだりしていても、どうにもならないからです。

そのためには、できるだけ目標をこまかく設定する、という方法をお勧めします。

具体的にいえば、物事を一分単位で考えてみるのです。

わたしたち人間にはだいたいどれぐらい寿命があるのか、活発に動き回れる時期はどれぐらいか。常識的に考えればだいたいの目安はわかりますね。人生八十年といわれても、それより早く死んだり、長生きする人もいるでしょうけれど、だいたいそのぐらいであるとわかります。

その限られた時間を、一年なら三百六十五日、一カ月なら三十日、一日なら二十四時間、一時間なら六十分、一分なら六十秒と、最小単位までこまかく分けるのです。時間というのは、客観的で変わらない現実ですからね。

そうすると、目的を達成するまでの時間をだいたい計算することができます。

妄想をふくらませて、非現実的な目標を漠然とつくるのではなく、限られた時間の中で自分はなにができるのか、秒数から考えてみればいいのです。きわめて具体的な方法だと思いませんか。妄想ではなく秒数で考える。

1秒ではあまりに短すぎるから、1分でできることをやってみる。1分しかありませんから、大掛かりなことはできません。全体として1時間のプロジェクトであれば、1分の目標を60回積み重ねることになります。とにかくいまの仕事に没頭する。いまの仕事だけを、失敗しないように集中する。それを実践すると、だいたいうまくいくものです。

たとえば、エベレストに登るという壮大な目標を立てた場合、登るぞ、登るぞと言っているだけではただの妄想です。

そういうときも数字で考えてみるのです。

まず何年後に登るのかを決めます。もし3年後ならば、365日×3年＝1095日という、実行するまでの日にちが計算できます。そうすれば1日何時間ぐらいランニングをするとか、筋力トレーニングをするとか、具体的にやるべきことがわかってきますね。それを積み重ねていけば、やがていつかはエベレストを制覇することもできるという思考方法です。

このように目標はなるべく短い区切りで立てていったほうが、実現可能かどうかが見極められるようになりますし、可能か不可能かをグズグズ考える前に、その1分を充実させてしまえば、実現に向けた一歩を踏み出したことにもなるのです。千里の道も一歩からというではありませんか。

「いまこのとき」を充実させて、大きな目標に向かって、ぜひスタートを切ってみてください。

❖悩みも1分単位に区切ってみる

実はこの方法は、悩みの解消にも使えます。

われわれが不安に思ったり悩みに思ったりするのは、ほとんどが「いまこの瞬間」でなく、見えない未来や、もう終わってしまった過去のことを考えることから起きているのです。

「いまこの瞬間」以外のことは、具体性、客観性がありませんから、そういう思考は際限がありません。事実によって決着をつけることができないのです。いま、この瞬間だけに着目すれば、心配するような「問題」というのは消えてなくなるのです。

例えば、いま、この文字を読んでいる1秒の間に、何か重大な問題があるでしょうか。1秒ですから、そんなに大した問題はないはずです。息を止めるのだって、ジャンプするのだって、簡単です。

わたしたちの人生は、いまの瞬間だけが事実だし、具体的だし、実際にはこの瞬間瞬間でしか生きていないのです。それなのに、それ以外のことに妄想を働かせるから悩みが生まれるのです。実際には、この1秒、1秒でしか生きていないのにも関わらず、それを忘れているのです。

だからわたしは講演などで時々訊くんです。「みなさん、何か問題を抱えていますか？」と。みなさん、いっぱいあるとお答えになる。次にこう質問するのです。「では、いま、**この1秒の間に、何か我慢できない、どうしても耐え**

られない問題がありますか？」と。そうすると誰でも、こう答えます。いいえ、そんな問題はありません、と。そこでわたしはこう続けます。「あなたがたは具体的にはいまの1秒しか生きていないし、これからもずっとそうです。だからいま、この1秒に問題がないのなら、一生何の問題もあるはずがありません」と。

しかしこれがわかったとしても、やはり人間は悩み苦しむのですね。それはなぜかというと、時間をずらして考えてしまうことが原因です。

つまり妄想です。いま、この一瞬一瞬で生きていながら、将来のことや過去のことに頭を使っている。本当は過去も未来も存在しないのですから、頭の中は妄想でいっぱいになっているのです。

いま、この瞬間という時間をずらしてはいけないのです。それはなぜかというと、明日のことを考えたり、昨日のことを考えている人は、現在のことがおろそかになるからです。それでは生きることに失敗してしまいます。

例えば明日のことを考えながら飲み物のカップを取ろうとすると、手を滑らせて落としたり、中身をこぼしたりで、正しく取れません。それによって自分が嫌な気分になったりしますね。

昨日あったことを考えながら飲んでいては、お茶もおいしく感じません。時間がずれてしまうと、そうやって一生、失敗の人生になってしまいます。

同じことが時間の範囲についてもいえます。

「一生涯成功しよう」とか「10年かけて成功しよう」と計画を立ててがんばると、苦しい道になります。まるで、心に重しをつけたような感じです。

これに対して、「この10分だけがんばってみよう」とか「この3分だけがんばってみよう」と考えを変えてみると、気持ちが変わってきます。

「10分だけならできそうだ」「3分だけならできそうだ」という楽な気持ちになります。

その10分間が終わったら、また次の10分間をがんばればいいのです。

こう考えれば、すべての仕事が軽やかにこなせるようになります。

第二十一夜

「人の役に立とう」とすると、結果的に成功する

人間は誰もが、
他から恩恵を受けて生きているのですから、
果たす義務と責任があります。

これまで、「生きていることには意味や目的などはない」ということを何度かお話ししました。

するとせっかちな人は、「じゃあ、何をやってもいいんですね。どんな悪いことをしても」などと短絡的になるかもしれません。もちろん、そういうことではありません。この点についてもう少し説明しましょう。

「生きる意味」「生きる目的」を考える、というのは、一見まじめな態度に見えますが、実はふまじめなのです。そういう思考法は、結局未来のことにだけ目を向け、生命にとって最も大事な「いま」から目を背けているのです。「いま」から目を背けると、「いま、こうして生きている」ということがわからなくなります。

仏教は「いま」ということを大変重視します。人間にとっては、「いま」以外のことはすべて妄想です。なぜなら過ぎ去った過去も、この先の未来も、すべて人間が頭の中でつくりだしたもので、事実ではないからです。未来はともかく、過去は確定した事実じゃないか、という人もあるかもしれません。本当にそうですか？　日本が第二次大戦でどんなことをしたか、政府の記録がたくさんあるのに、いまだにわからないことが多いのです。ましてや個人が過去に行ったことは、常にあやふやです。人間の認識能力や記憶能力には限界があるので、人間は自分が昨日行ったことについてさえ、確かなことは何もいえないのです。記憶や記録も事実とはいえません。事実ではないものに囚われれば、幸福にはなれません。これは仏教を信じようと信じまいと変わらない真理です。「いま」から目を背けることは、間違っています。「目的」「目標」というのも、「いま」から目を背ける発想の一つです。

前にもお話ししましたが、最近、若い人の間に、動機のわからない殺人が増えているといわれていますね。ネットで誘い合った若者が車や密室で練炭を焚いて自殺する事件も多発しています。

なぜ、こういうことが起きるのか。いろいろな理由があるでしょうが、原因の一つは、若者の絶望でしょう。何に絶望しているのか。わたしは鬱《うつ》病や自殺願望に悩む若者たちと話すことも多いのですが、彼らは例外なく、ものすごく観念的で、理想をたくさん持ちすぎて、一種のパニック状態になっています。

理想や目標というのは、俗世間では良いもののようにいっていますが、実はそうではないのです。目標は高ければ高いほど具体性が消えてしまって、逆に行動力を削ぐことも多いのです。

何度か話したように、目標はかなっても幸せになるとは限らない。幸せというより不幸になることが多いのです。

わたしは十八歳くらいのとき、無性にステレオが欲しかったのです。友達が外国から持ってきた音楽を聴いて「なんてきれいな音だろう。自分も一つ欲しい」と思ったんですね。その時は全然お金がなくて叶わなかったのですが、やがて買えることになったとき、実際に手に入れてみたら、まったく面白くないんです。若い子たちと一緒に聴けばまあまあ楽しめますが、自分にとってステレオの意味は終わっていたんです。その後、人にあげてしまいました。

つまりステレオを欲しかったころの自分と、買えるようになったときの自分はまったく別の人間になっていたわけです。買えるようになったら、もう音楽への興味を失っていた。目標というのは将来のことですから、それが叶うときのわれわれは、全然違う気分になっています。自分の趣味嗜好だけでなく、家族や友人、職業など、いろんな環境がまったく変わっています。だから俗世間でいう「目標」「目的」などは意味がないのです。

ちょっと脱線しましたが、本当に大事なのは、未来や過去に目を奪われることではありません。「いま、こうして生きている」ということはどういうことなのか。これを見極めることです。

❖「社会の役に立つ」「他に貢献する」

そうすると何が見えてくるでしょうか。一ついえることは、人は、何かしら関係を持って生きているということです。生きているというのは、関係性です。人間だけでなく、すべての生命が支え合って生きているのがこの世界です。

一個の生命は、複数の他の生命によって支えられています。人間はけっして一人では生きていられません。それをしっかり理解していただきたいのです。

なにもわたしは観念的なことをいっているわけではありません。あなたは、親や学校の先生や、友達など、たくさんの人との関わりの中で育ってきたでしょう。その中にはマイナスの影響しか及ぼさなかった人もいるかもしれないけれども、それも含めて、そうした人々の存在がなければ、いまのあなたはなかったはずです。

日常的にも、例えば、あなたがコンビニでお弁当を買ってきたとしますね。そのご飯は、おかずは、誰がつくったのでしょうか。そして、誰がお店まで運んでくれたのでしょうか。たった一つのお弁当にも、たくさんの人たちが労働したことの成果が結晶しているのです。

自給自足の生活をすれば、誰にも頼らずに生きていられるんじゃないかですって？　残念ながら、土の中の微生物がいなかったら、養分は分解されず、野菜もコメもうまく育ってくれませんね。野菜も虫も動物もぜんぶ生命です。

このように人間は、いろんな生命のおかげで生きていられる、ということをまず理解してください。

人間は誰もが他からそうした恩恵を受けて生きているのですから、それに対する恩返しとして、果たすべき義務というものがあります。

義務というのは「善行為」（良い行い）と同義語でもありますから、義務を果たさない人は悪人となります。他人の悪口をいったり嘘をついたりするのは、無責任なエゴイストのすることです。自分だけ良ければいいというのが仏教で厳しくいましめる「悪行為」（悪い行い）なのです。

では何が善い行為なのか。それは時代や場所によって異なりますが、「社会の役に立つ」「他に貢献する」仕事は、良い行為です。

わたしたちは大自然から、他の生命から多大な恵みを受けて生きています。一方的にいただくばかりでは、人生は借金ばかり、多重債務で首がまわらなくなります。たとえ小さくてもよいから、大自然とすべての生命にお返しをしましょう。それが仕事です。

仕事というと金儲けの手段というふうにとらえられがちです。儲けることは少しも悪いことではありません。しかし、「儲けよう」と思ってする仕事はよくありません。「儲けよう」というのは何とかして高く売りつけてやろう、というふうに、お客や取引先からお金を奪い取る発想です。

そうではなくて、「人の役に立とう」「世の中に貢献しよう」という発想であれば、商売もうまくいくし、結果的に儲かります。社会に貢献できる人、他の役に立つ人は、必ず周囲に助けられ、守られるようになります。

「役に立つ」というのは生命を支えること、喜ばれること。仏教の言葉ではみなさんもご存知の「布施《ふせ》」といいます。

「役に立つ」といっても、そんなに大それたことでなくていいのです。お茶をいれるとか、ちゃんと挨拶をするとか、公園の空き缶をひろうとか、マナーを守るとかいった、ささいなことでもいいのです。

「役に立つ」ことを続けていれば、必ずお返しがあります。

あてにならない将来の「目標」や「夢」などにかまけないで、「いま」ここで何か役に立つことをすること。それが最も大事なことなのです。

第二十二夜

誰もが他者に迷惑をかけて生きている

人間というのは、他者に負担をかけずには生きられない生きものです。
生きること自体、地球に負担をかけているのです。

他人に負担をかけて自分は生きているのではないか。

そういう悩みに対して、わたしなりの答えを返しましょう。

そもそも、そんなふうに考えている人は、すでに周囲の人々に負担をかけているといと思ったほうがいいですよ。人間というのは、負担をかけずには生きられない生きものです。生きること自体、地球に負担をかけているのです。

だからわれわれが、自分以外のものに負担をかけているのは当然のことなんですね。そして、自分でそう思っているのなら、他人にかかっている負担を、少しでも減らすように努力すればいいのです。

たとえば、赤ちゃんはお母さんに、たいへんな負担をかけているでしょう。お母さんがどんなに疲れているときでも、おむつは汚すわ、洗濯ものは大量に出すわ、そのうえ何時間も泣き続けるわ、おっぱいをあげなきゃいけないわでお母さんは大忙しです。

しかし赤ちゃんというのは、完全にお母さんに寄生しているわけではないのです。おっぱいを飲んでお腹がいっぱいになると、笑ったりお母さんの髪の毛を引っ張ったり、歯のない口でにこっと笑ったりするでしょう。

髪を引っ張られたお母さんは、それをいやだと思いますか。

思わないでしょう。喜んで赤ちゃんを慈しみますよね。

お母さんの疲れはそれでなくなるんです。だから、赤ちゃんでさえも、ちゃんと自分なりにお母さんに貢献しているのです。

それが大人になってくると、親の世話になるばかりで、子どもは何も返してあげられなくなります。ですから、小学生のころからお手伝いとかいろいろなことを子どもには教えたほうがよろしいのです。

そうでないと、いまの日本の教育システムでは、学校に行くとすべて学校の中で終わってしまいますから、社会人として学ぶことができなくなるんです。高校に入ったら、大学に入ったら……というように、人にしてもらうことばかり覚えて、自発的に学ぶことができなくなってしまいます。

自分でやることを見つけられない、しつけや訓練を受けていないことが、いまの教育や社会における大きな問題だと思います。

全部大人がやってくれるものだと思ってしまうから、大人になっても仕事をしたがらなかったり、家に引きこもったりするんですね。もしかすると、本人は仕事をしたいという気持ちを持っているのかもしれないのに、長年のくせで、なかなか体が動かないのかもしれません。しかし一回やってみれば、意欲は出てくるし、人生は、やってみればなんだってできるものなのです。

ですから、人への感謝をもって、自分からできることは先に進んでやってみることです。その行為は誰かの役に立つかもしれません。それで他人にかける負担を軽減すればいいのです。

❖必要とされていない自分？

「わたしは他人に迷惑をかけているのではないか」という疑問に関連する質問として、「わたしは人から必要とされていないのではないか、自分なんかいなくてもいいんじゃないか」というものがあります。

こういう質問をする人は、おそらく怠け者です。もし本当に必要とされていない自分に悩んでいるのなら、こんな質問をする前に、自分の能力開発に励んだり、自分から人を助けたりして、忙しいはずだからです。

必要とされないことが不安なら、必要とされる人間になればいい。簡単なことですね。

能力というのは、その対象をどう設定するかで、伸びたり伸びなかったりします。誰かの役に立ちたい、生命の役に立ちたい、ということを常に考えていれば、能力はどんどん開発されていきます。

例えばマザー・テレサは、もともとそんなに能力のある人ではなかったのです。しかし、「インドの道端で亡くなっていく人々を救うのだ」と決めたことで、彼女の隠れた能力がどんどんと花開いていったのです。

自分のひいおじいさんの名前を知っている人はほとんどいません。でも、アインシュタインやニュートンの名前は皆が知っています。それは彼らが人類の役に立つことをしたからです。皆から素晴らしいと思われる業績を残したからです。

しかしこういったからといって、「あなたもそういう偉大な人間になりなさいよ」といいたいわけではありません。何事もやり過ぎはよくありません。どのくらいまで能力を磨いたらいいのか、というのにも限度があるからです。例えば先生になって人に学問を教えるのだ、といっても、百万人に向かって教えるというのは普通は不可能です。他人に必要とされる人間になるといっても、「万人にとって必要とされる人間になるぞ」とか、「生きとし生けるものにとって必要な人物になるぞ」と願ったら、それはもう悟るしかなくなってしまいます。

あまりにも遠大な目標を持ちすぎると、そこにつけ込む人も現れます。心構えとして大志を抱くのはいいのですが、論理的、具体的に実行できる範囲のことにすべきです。ただ自分の願望だけで、「あの人にも、この人にも役に立ちたい」と夢を膨らませても、相手が自分を必要としていないなら、かえって迷惑です。電車から降りる若い人に手を貸すとか、自力で歩ける人のために車イスを持ってくるとかいったことは、かえって迷惑です。

役に立つ、というのはお互いの関係性の上に成り立つものです。相手が必要としていないのに未練をもって「何か役に立ちたい」と思うのは押しつけです。役に立たないということは、その人とわたしの間には関係がない、ということです。関係がないことには悩む必要がありません。

例えば、わたしはアメリカのどこかに住んでいるケリーさんの役に立つことはおそらくできないでしょう。そのことについて、わたしが悩む必要はないのです。しかし、自分のまわりにいる加藤さんや佐々木さんになら、お茶をいれてあげるとか水を一杯渡すとか、具体的に役立てることがあります。このようなリミットがあることを理解する。これですべて解決します。

「自分などいなくてもいいのではないか」と思い込むことも、「地球の裏側の人にまで役に立とう」と思うことも、歩ける人に車イスを勧めるのと同じくらいバカらしい行為です。こういうバカらしい妄想から抜け出すには、ただ普通に、自分のまわりの人々と生きてみることです。そうすれば、実はそれだけで自分が、何らかの形ですでに誰かの役に立っていることに気づくはずです。

第二十三夜

お金持ちを羨まない

お金持ちになるためにがんばる、というのは非論理的です。社会の役に立った、良いものをつくった結果金持ちになる、というのが論理的です。

お金の使い方について、仏教ではこういう考え方があります。まず収入を四つに分けて、一つは自分の生活のために使う、一つは貯金する、残りの二つは投資する。これは金持ちの若者を相手にした説法であって、給与生活者ではちょっと無理かもしれませんね。

しかし、特別なお金持ちでなくても、生活ができて少しばかり貯金ができるぐらいのお金があれば、それで満足できるのではないでしょうか。

では、なぜ人々は、「お金がいくらあっても足りない」と嘆くのでしょう。仏教の観点からすると、それは「計画性がない」ということになります。

理性のある人は、自分の収入はどうやって分配して使うかを、こまかく計算しています。家賃とか光熱費とか食費とか、毎月どうしても払わなきゃいけないお金がいくらあって、いくら収入があればいいのか。そこを計算して、もし赤字ならばその配分を考えなければいけません。

給料が15万円なのに家賃20万円のアパートやマンションに住むのは非論理的でしょう。どうしても20万円の部屋に住みたければ、それなりの仕事をするしかありませんね。必要な分を超えていくらでも欲しい、富豪になりたいというのは、理性が壊れている証拠です。

富豪になってどこが悪いのか。

それだけを見れば悪くはないでしょう。しかし、社会全体の中で考えてみれば、若者がみんな富豪になりたいといって実業家をめざしたら、お医者さんやおまわりさんがいなくなって困るでしょう。

ですから、なんのために富豪になるのか、その理由を考えてみるといいんです。富豪になって良いか悪いかではなく、必要か必要でないか。

それが理性のはたらかせどころです。

「がんばる」前に「がんばる」の中味をしっかり考えたほうがよいのです。

❖何のために「がんばる」のか

「わたしが富豪になりたいのは、さびれた村を開発して町おこしをしたいからです」というならば、がんばってもいいだろうと思います。あるいは、「幼いとき母親が苦労して自分を育ててくれたから、立派な家を建てて楽をさせてあげたいのだ」と考えるならば、母親がそれを必要としていなくても、がんばったほうがいいと思います。

そのような特定の目的がなくても、富豪をめざす明確な理由があるのです。そこには、富豪になった人々はいくらでもいるのです。その中で、社会のためになる商品をつくってそれが売れた結果、金持ちになってしまったというケースがあります。その場合は、金が自然に流れてきた、ということなので、幸福を喜んでもかまわないと思います。

ところが、目的もなくただ富豪の堂々たる姿を見て、感情的に「わたしも富豪になりたい」と思って鬼になって金儲けをする場合は、病気だというしかない。

そのような人々には、ひらめきも少ないのです。無理に考えて商品を作るので、社会もそんなものを買いたくはならないのです。そうなると、派手に宣伝して、客をマインドコントロールしようとする。客は好んで買っているのではなく、暗示をかけられて買わされているのです。そのような方法で富豪になっても、ささいなつまずきで倒産する恐れがあります。これは現代社会ではありふれた現象です。富豪になりたい、という気持ちは病気なのです。病気だから、若者にも簡単にうつってしまう。

ですから、富豪になりたい、ではなく、何のために富豪になるのか、その目的が必要か否かを見極めることが、いついかなるときも大切なのです。

仏教がこれだけお金というものに警戒の目を向けるのには、理由があります。**お金こそ、無限に膨らみ続ける欲の象徴**だからです。

わたしたちが苦しむのは、欲が多いためです。欲に振り回されているからです。欲というのは、決して満たせません。満たせないことをやっても、キリがありません。他のことができなくなってしまうのです。人間は、「お金さえあれば満たされる」と思っています。しかしお釈迦様は、「たとえ小判が雨のようにふっても、欲は満たされませんよ」と、法句経というお経の中で言っています（一八六偈）。

欲というのは、満たそうとすると、膨張するのです。一万円がなくて困っている人が一万円を手に入れれば、その時だけ人は、「ありがたい」と思いますが、実際に一万円が手に入ると、「やっぱり一万円では足りない。五万円くらいあった方が、あれもこれも買える」という気持ちになるのです。そこで五万円を手に入れると、今度は十万円が欲しくなります。欲しい金額は、大きくなる一方なのです。

だから、「小判が雨のごとく頭の上に降っても欲は満たされない。欲を満たそうという道を歩むなかれ」とお釈迦様は説くのです。欲を満たすのは楽しいことです。しかし、そのためにどれくらい苦しみを味わうことになるか、それを考えなければいけません。

ほんの少し、ささやかな楽しい気分を味わえるからといって、人間は必死に欲を追い続けています。しかし、それで本当にいいのか。どんなに自分の欲求を満たそうとしても、決して満たすことはできません。まるで、ざるで水を汲んでいるようなものです。必死で汲まないと、わずかな水も得られません。欲から得られる喜びははかなく、少なくて、本当は苦しみの方が多いのです。こういう事実をきちんと客観的に見つめなければ、わたしたちはいつまでも欲を追い続けて、空しい人生を送ることになります。

わたしたちの心の中には、「もっと、もっと欲しい」という気持ち、仏教の言葉で「渇愛《かつあい》」というしろものが寄生しています。

仏教は、心に寄生しているこの渇愛を引き抜くことを教えます。「渇愛がなければ、それで平安だ、苦しまないのだ」と。

そもそも現代社会の問題は、全部人間の欲が引き起こしているのです。「欲を満たすことは不可能だ」と認識していないから、地球上のあらゆる資源を食い尽くして、自然を破壊しているのです。欲を満たすためならば、どんなに苦しいことでも、どんな罪でも犯してしまう。時には人殺しや戦争も厭《いと》わない。しかし、それで欲が満たされるかというと、もっと新たな、大きな問題を引き起こしただけなのです。だから、欲を満たすというのは、さらにもっと大きな欲を増やす道であり、さらに苦しむ道なのです。

欲を満たすために罪を犯す。それによって自分の人生はさらに苦しくなります。欲を満たす道は、危険な苦しみの道なのです。

第二十四夜

「一番病」にかからないこと

「日本一」「世界一」をめざしてがんばること自体が悪いとはいえませんが、行き過ぎるともっと大事なものを見失うことになります。

日本一長いすべり台、日本一長い巻き寿司から始まって、世界一長いひげ、世界一高いビルに至るまで、毎日のニュースは、「日本一」「世界一」であふれています。

「史上初」「日本唯一」「世界唯一」というのも、人気がある言葉です。「初公開」「初めて報道された」という表現も、よく耳にします。

こうしたニュースばかりを目にしていると、まるで「一番」や「〇〇初」以外の物事には、価値がないように思えてきてしまいます。人間のつくった数値や目安に過ぎなかったものが、逆に人間を支配しだすのです。こうした「一番病」は不幸への道です。

例えば、あなたは歌が趣味で、近所の方とグループをつくって、一生懸命コーラスを練習したとします。

近所の公民館で、練習の成果を発表すると、家族や友人に大変好評でした。「ぜひまた聴きたい」という人が多かったのです。

あなたはきっと、努力の成果が認められて嬉しく思うことでしょう。きっともっと努力を重ねて、さらにうまくなろうとすると思います。周囲の評判が高まるにつれて、よりたくさんの人が集まり、発表会場も大きくなっていきます。努力が認められたのですから、喜ぶべきことなのですが、しかしこういうときに気をつけるべきなのが「一番病」です。

あなたたちのグループの評判を聞きつけて、マスコミが取材に来たら、彼らはきっとこういうことをいうでしょう。

「全国大会に出ないのですか？　入賞すればもっと有名になれますよ」

「前のコンクールでは三番だったのですね。もっと上をめざすのですか？」

「他の地域では、もっとすごいグループもいるようですが……」

こういうインタビューに答えているうちに、自分たちもその気になって、やがてコンクールで優勝することだけを目標に練習するようになったら、歌うこと自体を楽しんでいた気持ちがどこかへ飛んでいってしまいます。自分たちの欠点を次々と見つけ出したり、ライバルたちの弱点を研究するようになったら、もはや楽しみとはいえません。

こういう**「一番病」を、私は「ギネス記録症候群」とも呼んでいます。**この病気に冒されると、日常のことを、つまらなくて退屈な、どうでもよいことのように考えるようになります。そう考えれば、当然日常はつまらなくなります。そして頭の中は、大胆なこと、人をあっと驚かせること、聞いたら皆が称賛しそうなことでいっぱいになります。こうしてどんどん現実離れした人間になっていきます。

そのような期待は現実離れしていますから、当然現実に叶うことは少ないのです。叶わない夢はあきらめればいいのですが、あきらめきれず、自分ができない分、人に押しつけようとする人もいます。親がわが子に押しつけたり、社長が部下に押しつけたりする例は少なくないのです。親がわが子に殺されたり、部下が仕事のストレスで自殺することもあります。現実離れした期待は、不幸の元です。

「ギネス記録症候群」といえるものは、誰の心の中にもあります。そういうことを遊びでやるのは、いっこうにかまわないのですが、それにあまりにもとらわれると、われわれにとってもっともっと大事なことを見失ってしまいます。
大事なことというのは例えば、盗みをしないことです。大きな良いことに心を奪われている人は、小さな悪いことを見逃す傾向があります。ちょっとしたうそをついたり、出張旅費を二千円ほどごまかしたり、といったことです。どんなに小さなことでも、悪いことはしないと心に決めるべきです。悪いことは、どんなに小さなことでも繰り返すとたまっていきます。千円くらいなんのことはないとごまかし続ける人が、最終的には何千万円ものごまかしができるようになります。

反対に、良いことは、どんな小さなことでもするべきです。道端の空き缶一つでも拾って捨てる習慣をつければ、その結果は必ず積み重なり、最終的には、すばらしい人格の持ち主になれます。

世界一になろうとか、日本一になろうとか、大胆なことを望まなくとも、小さな良いことを続けると、最後には必ず望む結果が得られます。それこそが本当の仕事なのです。

第5章

幸せへの道

第二十五夜

「答えのない問題」には悩まない

この世には「答えのない問題」もある。
それは自分の責任ではないのですから、
「答えのない問題」に悩む必要はありません。

悩みの中には、どうしても答えの出ないものがあります。

例えば、せっかく家を建てたのに、たった三カ月で地震に遭って家が倒壊してしまったとします。たしかにがっかりするでしょう。けれどもそういうことは、悩んでも仕方ないことなのです。

答えのない問題に対して、理性のある人は悩みません。しかし人間というのは、答えがないことに対して、あえて悩むものです。それで悪循環に陥ってしまうのです。

生きていれば何かしらの問題が起こるものです。だから、それが起こったときに「自分はどうすればいいのか」とその都度考えていけばいいのです。

例えば、大事な子どもが死んだとします。

大きな問題ですね。悲しくて仕方がない。どうすればいいか。どうすることもできないでしょう。そうだとしたら、子どもが死んだことは悲しいけれども、それを悩みの種にしてはいけないのです。

子どもが病気にかかった。どうすればいいか。適切なお医者さんにかかればいいですね。悩む必要はない、診《み》せればいいんです。医者に診せて、これは治らないと診断されたらどうするか。もしかすると、セカンドオピニオンを求めるべき、という答えが出るかもしれない。それならそうする。または、どうすることもできない、という答えが出る。余命何年と言われたら、その何年かを充実したものにするために、どうしたらいいのかを考えればいい。

だから、問題にぶつかったら、そのときそのときでどうすればいいか、という質問を自分にしてみる、それが大切なことなのです。

親が破産した、夜逃げしたということで悩む人もいます。

たしかにご本人にとってはたいへんなことです。けれどこうしたことは、さまざまな悩みの中では、それほど深刻にならなくていいことなのです。

なぜなら、それは親の残した失敗であって、その人自身の失敗ではないからです。ですから、そんなにダメージを受ける必要もないし、落ち込む必要もない。人生にはこういうこともある、と受け流して、自分でできる仕事を見つけて、明るい気持ちで生きてゆけばいいのです。

第二十六夜

「幸せ」はモノから離れることで生まれる

幸福はあなたの心の状態ではかることができます。
物質的な豊かさは、あてにはなりません。

この世の中に幸せを願わない人はいません。みんながみんな、自分や家族や大切な人の幸福を願っています。

では、どうしたら幸福になれるでしょうか。

この世の中は物質（モノ）で幸福をはかる傾向があります。

豪邸を建てられたら、高級外車を何台も持てたら、ブランドものの服やバッグがたくさんあったら……そんなふうに幸福をモノで計算します。

コンピュータに財産の目録をインプットして、「わたしは幸福ですか？」と診断しているようなものです。お金やモノがたくさんあったら、幸せなのでしょうか。

それだけで人間の幸福が決まるとするならば、幸福になれるのは、ほんの一握りの人間だけです。幸福は、強者の、独裁者の、搾取者の特権になります。世界の不公平は正しいと、認めることになります。

しょせん、モノはモノです。モノに依存してしまうと、結局はモノの奴隷になるのです。こういうと驚く人もいますけれども、自分の体（これも結局、モノです）でさえ自分の自由にはなりません。体は体の法則で日々変化していくのです。あなたの思っているとおりには、動かないものです。

モノに依存する心があると、自分の体というモノにさえふりまわされるのです。

となると、なにが幸福や不幸を決めるのでしょうか。

仏教では、物質ではなく心の状態であると考えます。

つまり、幸福か不幸か、ということは心が決めるのです。どんなに物質的に豊かな生活をしていても、「あれも欲しい」「これも欲しい」とつねに心が新たなモノを求め、現状に満足していなければ、心は貧困病に罹《かか》っているのです。それは幸福とはいえません。

一方、物資的にめぐまれていなくても、その人がその状況に満足している、充実感を感じている、そして、自分の努力に適ったモノを手にしていると納得していれば、その人の心は明るいに決まっているのです。幸福です。

❖わたしたちはみんな依存症

モノへの依存ということについて、もう少し詳しくお話ししましょう。

お釈迦様が年を取って、いよいよ亡くなるとき、弟子のアーナンダ尊者にこう言いました。

「したがって、アーナンダよ、自分を灯火にして、自分を頼りにして生きなさい。真理を灯火にして、真理を頼りにして、他に依存しないで生きなさい」

これは、「自灯明、法灯明」として、日本でも有名な言葉です。自分と教えを頼りにして、他の何者にも依存するな、ということを教えているのです。

ですから幸せになりたいのなら、モノに対する依存症からだけでなく、すべての依存症から抜け出す必要があるのです。

それなのにわたしたちは、依存から抜け出すどころか、どんどん依存をすることが幸せへの道だと思っています。

お金が欲しいと思うとお金に依存し、ブランド物がほしいと思うとブランド名に依存しています。有名な会社に入りたいと思うとき、有名な会社の名前に依存しています。そうしたモノを手に入れることが「自立」だとか「独立」への道だと勘違いしているのです。

本当の自立、仏教の考える自立は、こうしたモノから離れるところから始まります。最も古い経典の一つに、スッタニパータがあります。この中の「ダニヤ」という経典を参照してみましょう。ダニヤさんというのは、裕福な牛飼いの名前です。

ダニヤさんはお釈迦様との対話をきっかけに出家して、本当の自由、本当の幸福を求めて修行します。

そこにマーラ（悪魔）が現れて、修行の邪魔をするのです。マーラはこうささやきます。

「妻子がいる人は妻子で喜ぶ。牛（財産）がある人は牛（財産）で喜ぶ、束縛、自分のものがあることは喜びです」と。

わたしにはあれがある、これがある、というふうに、モノがあれば、確かに人に自慢ができますね。「わたしはウナギを食べますが、江戸前のものしか食べません」だとか、「鶏は名古屋コーチンに決めています」だとか。「この指輪はティファニーで買ったんですよ」だとか、自慢ができます。

こんなふうに、人はいろんなモノを自慢します。マーラは、これこそが幸福だ、というのです。なるほど、それは世間の考え方を示しています。

ブランド物や高価なモノを買って満足しているなら、その人の幸福はモノによって束縛されているということです。

しかし、これに対してお釈迦様はいいます。

「妻子がいる人は妻子で悩む、牛（財産）がいる人は牛（財産）で悩む、束縛は人の悩みである。束縛のない人に悩みはない」と。

不幸のほとんどの原因は、モノです。自分の子ども、自分の旦那、自分の奥さん、自分の会社、自分のお金など、モノが原因で人は悩んだり、憎み合ったり殺し合ったりするのです。

苦しみ、悩みはわれわれが大事にしているモノから生まれるのです。そうでないものからは生まれません。

例えば、イラクでは毎日のようにテロが起きて、子どもたちが死んでいますが、われわれの多くは、日常、それを気に留めたりしませんよね。

しかし、身近な交通事故で、自分の子どもが死んだら、わたしたちは悲しみます。自分の子どもだからです。

マーラが言っているのは、俗世間のみなさんが考える「執着（つまり、依存症）による幸福」です。これは真理ではありません。

幸福になりたいのなら、まずモノ依存症から離れる必要があります。それ以外に道はありません。

第二十七夜

他人と自分を比べない

そもそも人と自分を比べる時点で、
人間は負けを認めていることになります。
「比べる」ことをやめれば幸せが訪れます。

人と自分を比べて、「あいつは俺よりうまくやっている」なんて思ったりしていませんか。

たとえば新入社員が入ってくるとき、あなたはどんな気持ちで迎えていますか。まさか、「若さに負けそう」なんて嫉妬してなどいないでしょうね。

そもそも人と自分を比べる時点で、負けを認めていることになります。若いというのは、仕事上の経験が未熟だということです。そんな若者をライバル視するのは、あまりに情けないことです。

逆にいえば、新入社員が入ってきた時点で、本当に負けてしまっているのなら、それまでの会社におけるあなたの経験とはいったい何だったのでしょうか。新入社員を寛大に待ち受ける。そのうえで彼らの至らないところをあなたの経験でカバーしてあげる。それが先輩として取るべき態度なのです。

若さに価値をつけて勝ち負けを争うのは、仏教的にみて、屁理屈以外の何ものでもありません。

若さについて、親子関係でみてみましょう。

例えば、子どもが小さいころなら、お父さんは体力があるから楽々と抱きかかえられますが、息子が二十歳ぐらいになれば、息子のほうが体力があるわけですから、もうかかえることなどできませんね。

だからといって、お父さんが息子に負けたわけじゃないでしょう。しかもその息子だって、父親と同じ年齢になったら、自分の息子に体力的にはかなわなくなるのです。年を取った父親は、それだけの経験をもってちゃんと生きているのです。父親のできることを息子ができるかというと、できませんね。でも息子はそれをくやしいとは考えないものです。

このように、若さに負けると考えること自体が、非論理的なのです。

日常起きる多くの悩みは、実は非論理的なことがほとんどなのですよ。悩みはすべて屁理屈から生まれます。ですから、どこまでも理性で見ることができれば、人生の問題は、わずかに雨が降ったような感じで、どうということはないのです。

雨が降ったら、傘をさしてください。

❖人と比べたがる心

そもそも、仏教では他人と自分を比較するという行為自体を、退けます。それはわれわれの生き方を不幸なものにするエネルギーになるからです。パーリ語で、「マーナ」といいます。漢字にすると「慢」で、その意味は「測る」です。マーナはわたしたちにとてもよくある感情で、ちょっとした心の病気みたいなもの。マーナとは「自分と他人を比べてしまう感情」です。

どうして比べることが悪いのでしょうか。

それは「比べる」という行為の裏には、必ず「自分に自信がない」という感情があるからです。自分に自信がないから、他人と比べてしまう。

テストの結果が50点だったとします。「今回のテストで自分の点数は50点だった」と、それだけで終えればいいものを、人間はつい、隣の人の点数も気にしてしまいます。その人が45点だったら、良い気持ちになります。反対に60点だったら、悪い気分になるのです。「比べる」ということで、二つの気持ちが現れたのです。

自信のない人が自分と他人を比べることで、どういうことが起こるかというと、孤独になっていきます。自分は誰にも認められない、価値がない人間なんだと思い込むようになります。

世間は自信のない人に仕事を任せませんから、その人は社会的にも孤立します。他人と比べられるのがいやなために、自分で自分の殻をつくって閉じこもる人もいます。いわゆる引きこもりやニートといった人たちです。

これらの現象はすべて、マーナ、つまり測ることから生まれてくるのです。人生の問題のほとんどは、比較することから生まれているのです。

しかしそもそも、他人と自分とをきちんと比較することは本当に可能でしょうか。身長、体重、収入や学歴を比べることはできますが、例えば身長が高ければよいことばかりかというと、そうともいえません。数字の大小と事のよしあしとは別のものですし、幸福度は測ることができません。

日本の人々が適当な所得で幸せに暮らしていたとします。それを学者が、「ヨーロッパのある国ではもっと収入が良い」と比較したとしたらどうなりますか？　確かに、比べてみたら日本の方が低い。しかしそれで悩んだとしたら、それは余計な悩みじゃないでしょうか。仮に国を挙げて日本の所得水準を上げたら、より幸せになるでしょうか？　所得水準を上げるには、いまよりもっともっと働かなくちゃなりませんよね。幸福の度合いが上がるわけがありません。せいぜい物価が上がるくらいです。

ウィンブルドンで優勝したテニスプレイヤーが、身近にいたとしますね。ウィンブルドンの試合自体、何の意味があるのか、よく考えるとわからないのです。ただ球をあっちからこっちへ打ったり、こっちからあっちへ打ったり、ただそれだけのことでしょう。それをものすごいお金をかけて世界中へ衛星放送している。そのお金を、もう少し人間の人生を幸福にすることに使ってはどうかと思いますが、そういう話にはなりません。黄色いボールを、相手が届かないところに落とす人はすばらしい、ということになっているのです。

ウィンブルドンで優勝すると、このテニスの世界では一流と認められたことになるのです。あなたはその人と自分を比較して、羨ましいと思うかもしれません。でも、テニスで一流になることに、何の意味があるのでしょうか。何かになったのでしょうか？　有名にはなったかもしれませんが、それがどうだというのでしょう。

有名になったら夫婦ゲンカをしなくなるのでしょうか？　強盗に、「あなたはわたしのものを盗めません。わたしはウィンブルドンで賞をとったのですから」といえば、「わかりました」と強盗をやめてくれるのでしょうか？　突然の病に倒れたとき、トロフィーが治してくれるのでしょうか？

もちろんテニスをやってはいけないというわけじゃありません。テニスであろうとダンスであろうと、やりたければやってもいいのです。おかしいのは、それに順位をつけたり、人と比べたりすることです。

比べることをやめれば、幸せが訪れます。それでもわたしたちは、他人と自分とを比べることをやめられないのです。

第二十八夜

自分に責任のないことは考えない

会社の不祥事、上司の不手際、同僚の失敗などの
責任をあなたが感じることはありません。
あなたはあなたの責任をまっとうすればいいのです。

すべての結果にはかならず原因がある、仏教ではそう教えます。その原因が自分にあるのなら、その責任は自分が負うべきです。しかし、そうではないのなら、その人は責任を感じることはありません。

例えば、子どもが殺人を犯したら、その子ども自身が責任を問われ、裁かれるのであって、その子の母親が「わたしも逮捕してください」「わたしを罰してください」といっても意味がない。ましてや、「子どもの罰を半減してください」というのも良くないことです。もし子どもが殺人を犯したら、その責任は、その子ども自身が負っていくべきものなのです。

あるいは、企業による犯罪の場合はどうでしょう。

法令順守（コンプライアンス）という言葉が最近よく聞かれます。菓子の製造日偽装、高級料亭での客の食べ残しの使い回し、牛肉やウナギの産地偽装、それで終わりかと思ったら、汚染米の問題や中国の乳製品へのメラミン混入で死者が出るといった事件があとを絶ちません。いずれも儲けのために人をだます悪質な犯罪です。

こうした企業による犯罪は、たとえトップの責任であっても集団責任になる場合があります。

そうすると、本当は責任を負わなくてもいいはずのパートやアルバイトの人までも仕事を失うことになります。何十年も仕事をしてきた人が失職するのは不幸なことです。

みんなが自分一人分の責任を持っているならば、集団責任という組織的な責任にまで問題は発展しないはずです。もし、違法なことを上司に命令されても、あなたは自分の決まりを守っていればいいはずです。

さきほど挙げた企業の犯罪は、ほとんどが内部告発によって発覚しましたね。つまり、消費者をあざむこうとする会社のやり方に反対して、責任を感じる人はそういう方法によって自分の責任を果たします。

ですから、自分の失敗は自分自身が責任を持つ。しかし、自分に関係のないところまで責任を持つ必要はないし、それによって苦しむこともないのです。

❖自分の管轄内のことと管轄外のこと

仏教では自分の管轄内のことと管轄外のことをきちんと分けよ、と教えます。例えば、会社で上司に「おはようございます」と挨拶をしても、返事がなかった。それどころか、ぷいと横を向いてしまった。きっと上司はわたしのことを嫌っているに違いない、と思い込んで、気分がふさいでしまったとします。

この人が落ち込んだのは、「わたしが挨拶をしたら、上司はきっと返事をしてくれるに違いない」という期待をあらかじめ持っていて、実際の結果がその期待と違ったからでしょう。物事が起こる前に本人が結果を決めていて、実際の結果がその通りでなければ、それはショックを受けると思います。

でも、この人は、なぜそういう期待を抱いたのでしょうか。「上司はこういう人で、わたしがこういうことをすれば、こういう反応をするに違いない」とどうしてわかったのか。わかるわけがないじゃないですか。

わたしの考えることとやすること。これはわたしの管轄内のことですから、しっかりやるべきです。しかし他人の考えることとやすることは、他人の管轄です。

わたしが「こうせよ」と思ったり望んだりしたからといって、そうなるわけじゃない。そうなると考える人は、自分が偉い神様にでもなったような気分でいるのです。

でもそれはとんでもないことです。**他人がどう考えるかは、他人の自由です。**そして将来、何が起きるかは、誰にもわかりません。どちらも自分の管轄外です。管轄外のことは、「そんなものだ」と受け止めるしかないのです。そうできないのは傲慢です。

傲慢な期待を持たないで挨拶をすれば、たとえ向こうが無関心でも、「今日はご機嫌が斜めみたいだな」というだけで終わってしまいます。大事なのはいまこのときだけです。三時間前に考えたことが、そのまま実現するわけではない。それはあたりまえのことです。わたしたちはこのように、極限まで自我なく、謙虚に生活しなければならないのです。他人に挨拶をしたら挨拶が返ってくるかどうかは、わたしが決めることではない。だからそのまま受け止めるしかないのです。

自分は謙虚に精いっぱい挨拶すべきですが、同じように挨拶が返ってくるかどうかは、自分が管理する範囲のことではありません。挨拶が返ってこないとショックを受ける人は、自分の管轄と管轄外の境目がはっきりしていなかったり、間違ったりしています。これもまた妄想です。

こういう「管轄違反」は至るところに見られます。夫婦の問題もそうです。夫婦のいさかいの中で、例えば奥さんが、「夫はこうあるべき」といろいろ思ったとしますね。

それは夫の人生を管理することになります。夫の立場にしてみれば、自分は大人だし、気楽に楽しんで生活したいから奥さんと結婚したわけですが、奥さんの思惑で自分が管理されてしまう。それではまるで母親に管理されているようで嫌なのです。

反対に夫の場合も、奥さんに対して「自分の奥さんはこうあるべき」という基準を押しつけていることが多いのです。そしてその基準に合わないからといって、奥さんにああしろ、こうしろと偉そうに命令したりします。

これはどちらも人権侵害です。どちらも自分の思い通りに相手が動いて欲しい、自分の思い通りに相手がなってほしい、と望んでいるのですが、管轄外のことに命令を下したり希望を抱いたりするのは、とんだルール違反です。こういうルール違反を犯していては、絶対に幸せにはなれません。

ではどうすればいいか。夫婦は同じ屋根の下に住んでいるのだから、お互いが争ったからといって勝ち負けはありません。お互いにもう一度、相手を自由な独立した人間同士として認め合うことが必要です。そしてその上で、日常の何でもないことにもお互いに感謝の気持ちを持つようにするのです。

奥さんが料理をしてくれたら、感謝してお礼を言う。例えば台所に行って、「わたしはすごく良い人と一緒になった」とか「わたしは幸せだ」と口に出して言うのです。

自分の管轄外と管轄内のことを区別して、管轄内のことについてはしっかりやる。管轄外のことについては、悩まない。これだけでも、悩みのほとんどは解消するはずですよ。

第二十九夜

完全に「役立たず」の人はいない

誰でも人の役に立つことはできます。
一人でも二人でも役に立てれば、それで充分です。

仕事について悩む人には二種類あります。一つは、「自分には何でもできる。なのに周囲が認めてくれない」と思って悩む人。この人は、自分がものすごく大きな存在だと思っています。もう一つは、自分でなくて世界の方が大きく見えてしまって、「何をするのも難しい。自分には何もできないのではないか」と怖れてしまっている人です。

いいかえると、**自信過剰の人と、まったく自信のない人がいる。この両極端の人たちは、悩みがつきないのです。**

解決策を考えてみましょう。仕事というのは、それほど大したことではないのです。人間は社会の中では、ほんの微々たることしかできないと思ったほうがいい。つまり完璧にやろうと思ってもできないのです。

わたしたちが社会に貢献できるのは、ほんの微々たることだけです。しかし、それによって社会は立派にまわっている。例えば、大学教授はただ自分の知識、それも人類全体の知識からみればほんのささいな知識を教えるだけです。医者はただ患者の体の修理をするだけですが、ちゃんと社会に貢献しているのです。

「社会の歯車」という言い方がありますが、人間一人ひとりは、歯車でさえない。せいぜい水道の蛇口を締めるときに使う、ゴムのパッキンくらいの存在です。

自分の人生をあまり大げさに見る必要はないのです。また反対に、まるっきり無と思うのも間違いです。総理大臣も社長も平社員も、みんなゴムパッキンです。人間一人が社会に対してできることは限られています。しかし、ゴムパッキンだろうと輪ゴムだろうと、微々たるものではあっても、それでもそうした人間たちがいなければ社会は成り立たないというのもまた本当なのです。

人間は社会の小さな部品ではあるけれども、しかしながら大切な部品でもあるのです。大切なのは、誰かの役に立つ、ということです。自分という存在を、大きく見過ぎるのも、小さく見過ぎるのもよくない。

誰かの役に立つ、というのはつまり布施《ふせ》であり、いいかえると仕事です。仕事というのは、「たった一人でもいい、どこかの誰かの役に立つ」ということなのです。たった一人に役立って、その人から報酬をもらうことも立派な仕事ですし、大勢の人の役に立つのも、もちろん仕事です。

仕事は誰でもできるし、すべきなのです。

ニワトリだって仕事をしていますよ。ニワトリが卵を温めるのも仕事です。ヒナが殻を破って外に出るには、温めてくれる親鳥が必要なのです。

障碍《しょうがい》者の方は、その生き方を通じて、生きる意味を教えてくれます。インドでは自分の家に障碍のある人が生まれたら、神様であると考えます。乞食の人が物乞いに来たら、その人は神様で、あなたを試しにきたのだ、と教えます。

この世の誰もが仕事をしているのです。だからあなたも、自分にできることを精いっぱいすれば良いのです。それで充分です。余計なことを考える必要はないのです。

第三十夜

「祈り」なんて役に立たない

祈るくらいなら努力してください。
祈ることで解決したり、よくなったりしたことなど、
歴史上一度もないのですから。

もしあなたの前に、「苦しむあなたを救ってあげましょう」といって両手を広げてやってくる人がいたら、それは要注意人物ですよ。なぜなら人は、自分が生きるのに精いっぱいで、無条件に他人を救う時間などないからです。

人を助けることはできると、仏教は認めます。しかし、人間としての自分の成長は、自分自身で行うものです。お釈迦様は尊い教えをさずけてくださいましたけれども、それを実践するのは、わたしたち自身です。飢えている人にご飯をあげることはできますが、食べるという仕事は、その本人がしなくてはならないのです。

お釈迦様とわたしたちの関係は、いわば先生と生徒の関係であって、まちがっても神がかった信仰の関係ではありません。

誤解される方がときどきいますけれど、お釈迦様の教えに宗教の特色はまったくないのです。お釈迦様は単に、理性に基づいて真理をしゃべっておられるのです。「自分は師匠である。誰にでもわかりやすく、理解できるように教えてあげます。しかし、がんばるのはあなた方自身です」とおっしゃっています。師匠とは導く存在であって、生徒自身ががんばらなければ意味がないのです。ですから、お釈迦様の教えは、世間一般にいうところの宗教とはちがうのだ、ということを理解してください。「祈り」とも関係のないことです。「祈ることでなにか得られるものがあるならば何もせずに祈っていてくださ い」とお釈迦様がおっしゃったことがあります。祈って解決するのなら努力する必要はありません。けれども現実には、祈ったところで何ひとつ解決しません。

仏教では、誓願《せいがん》することを認めます。それは祈ることではなく、「わたしはこうします」と自分に誓って願うことです。現代風に言えば、自分で自分に目的を設定する。そしてそれに向けてがんばることなのです。

宗教に頼って祈っているだけでいい、**自分はがんばらなくても祈れば何かを得られる。それは怠け者の発想だと思いませんか？**　裏口入学や不正な教員採用のように違法な考えです。ハンドパワーで虫歯やがんが治りますか？

信仰に走って自分で努力しようとしない人は、はじめから不道徳だといえます。努力もしないで人頼みにしていたら、わたしだったら退屈で苦痛です。自分で何かをはじめてみると、みるみる元気になれますよ。なぜなら、がんばって努力する行為そのものが、人間を明るく元気にするからです。

ですから、お釈迦様の教えに従って努力を続けてみてください。そうすれば、生きている一瞬一瞬が充実して、死ぬまぎわまで明るい気持ちでいられますよ。

❖一神教のおかしさ

仏教徒から見れば、一神教（ユダヤ教、キリスト教、イスラム教など）の唯一神、絶対神という考えほど無知なものはありません。仏教ではすべてを無常なものと考えますから、普遍的で永遠なものというのは、ありっこない。すべてが変化し移り変わるのですから、絶対的で変化しない神などというものは、存在しないのです。

一神教の神を、英語では頭文字を大文字にして、God と表記します。小文字の god ならまだいいのですけれども、大文字の God はありえません。人間の作った妄想観念にすぎません。

聖書を読んでみてください。一神教の神は、われわれ人間よりも気まぐれでわがままです。すぐに気分が変わるし、約束もやぶる。怒りっぽくて嫉妬深くて、暴力的です。

このような一神教と比べると、仏教ははるかに自由で、信仰の強制もしないし、仏教徒以外の幸福をも考えに入れています。

こういうと「日本では仏教のお坊さんも、『拝め』というではないか」という反応が返ってくるかもしれません。

日本の仏教は大乗仏教です。仏教発祥の地のインドから、中国を経て日本に伝わったもので、わたしたちテーラワーダ仏教（上座仏教）とはちょっと違います。

日本の仏教は天台宗（開祖：最澄）、浄土宗（開祖：法然）、浄土真宗（開祖：親鸞）、日蓮宗（開祖：日蓮）など、開祖様（祖師）のいる宗派仏教です。本来の仏教では、先に述べたように信仰などはいらないという立場ですが、こうした宗派仏教では祖師信仰といって、祖師を崇拝し、祖師のいうことをききなさいといって信仰を勧めることもあるようです。

しかし、お釈迦様は断固として信仰に反対していました。お釈迦様は、客観的に確かめられることのみを根拠に「こうすればどうでしょうか?」「確かめてみなさい」と淡々と説明します。それを実行するかどうかは、あなた自身の問題です。

ですから仏教というのは、西洋的な意味の「宗教」とはちょっと違うのです。宗教は根拠も示さず、ただ「信じろ」というだけ。仏教では、具体的、客観的、論理的に示すのです。

第三十一夜

「スピリチュアル」には意味がない

死んだあとはどうなるのか、極楽は、地獄はあるのか?
お釈迦様はそのような問いは無意味だとして、
お答えになりませんでした。

人間は死んだらどうなるのか、あの世とは本当に存在するものなのか？　あらゆる宗教が取り上げてきたテーマです。しかし、答えはもう決まっているのです。「わからない」というのがその答えです。

この世にいる人は死んだことがありません。だからあの世のことはわからないのです。簡単なことですね。

キリスト教やイスラム教では、神という概念で、すべてを説明しようとします。神様さえ信じていれば、誰もが死後、天国へ行ける。逆に信じていなければ、地獄に落ちる、と。この説によると、それ以外の宗教の信者は全員地獄行きになります。残念ながら日本のみなさんは、ほとんど地獄行きに決定ですね。

東洋の宗教は、キリスト教、イスラム教のような大胆なことは言いません。「仏さまを信じなければ地獄に落ちる」とか「阿弥陀仏を念仏しないと地獄に必ず落ちる」などとはいいません。そのあたりはずっと穏やかです。

後から現れた宗派はともかくとして、お釈迦様は死後の問題についてどう説かれていたのでしょうか。

結論から言うと、お釈迦様は、死後の世界についてあまり語っていません。お釈迦様のお話はほとんどが「現世でどう生きるべきか」をテーマとしたものでした。

理由が二つあって、一つは仏教における輪廻転生《りんねてんしょう》の概念の理解が難しいから。もう一つは、語る意味がないからです。

仏教における輪廻というと、一つの魂が前世から後世へと受け継がれて、何度も転生を繰り返すことと思われていますが、それは誤解です。そもそも仏教では「わたし」というのは幻である、という立場ですから、当然に「魂」も幻に過ぎないとするのです。輪廻はあっても、「輪廻転生する変わらない実体」など実在しないのです。

変わらない実体があるならば、輪廻とは同じものが転がるだけの話になります。そうなると、単純な引越しで、輪廻ではないのです。輪廻とは、心が絶えず変化し続けることです。

心の変化の過程は、行う行為によって変わります。善行為によって幸福に変化したり、悪行為によって不幸に変化したりするのです。ものの転がりではなく、ものの変化なのです。ですから「私に過去があったか否か」は実感がないのです。今世《こんせ》においても、子どもの頃の私には覚えがないでしょう。常に変化するから、そうなります。

それでは、私たち一般人は、輪廻があるか否か、死後があるか否か、という問題は、どう理解すればよろしいでしょうか。

お釈迦様はこの問題について「アパンナカ」という方法で答えました。これは「問題にならない方法」という意味です。

死後の世界について論じるやり方には二通りあります。一つは、死後の世界はある、もう一つは、死後の世界はない、というものです。

先にも言ったように、われわれは誰も死んだことがないので、この論争には現実的に決着がつきません。

だから延々と論じても意味がない。生きているわれわれに大事なのは、「生きているいま、どう生きるべきか」だけです。そこで、こう考えましょう。

世の中には少なからず悪人がいます。その人たちは、来世があろうとなかろうと罰を受けます。来世がなければ現世で逮捕されたり処刑されたりします。もし来世があれば、来世においても苦しむことになるでしょう。

いっぽう、悪いことをしない善人たちはといえば、来世がなければ天国へ行くことはありませんが、彼らはすでにこの世で幸せなのです。来世があればもちろん天国へ行けます。

このように、死後の世界があるかどうかに関わりなく、われわれは善行をするべきであることは決定されます。これをアパンナカ（問題にならない方法）といいます。

いまをどんなふうに生きているのか。人間が気をつけるべきはそこだけです。

魂論や前世話や霊との通信を売りものにした、スピリチュアルというのが流《は》行《や》っているようです。

いまあなたが不幸なのは前世の行いが悪かったせいだとか、先祖の霊が怒っているとか、いいかげんなことをいって高価な商品を買わせるような例も後を絶ちません。**そのような話は、少なくとも仏教的にはナンセンス**だと理解してください。理性をはたらかせて、いまをしっかり生きていれば、心配することなど何もないのです。

第三十二夜

幸せの本当の意味は心のやすらぎです

世の中の人は幸福の本当の意味を知りません。
何かが「ある」ことと「ない」ことを比べて、
「ある」ことが幸せだと考えるのは、差別的な幸福論です。

わたしたちは誰もが幸せになりたい、楽しく生きていたいと思っています。もちろん、わざと苦しむ必要はないのですから、楽しく生きられれば、それでいいのです。

しかし一般に「幸せ」と考えられているものは実は全部、幸せとは関係がありません。人々は、お金や財産があれば楽しい、家族や仲間がいれば楽しい、健康で長生きできれば楽しい、おいしいものを食べて飲んで、遊ぶことができれば楽しい、としか考えていません。

それくらいのことで、本当に幸せになれるのでしょうか。その程度のことを満たした人は、これまで数え切れないほどいたのです。

こういうものを全部手にした人が、人生において、何のむなしさも感じていないかを調べてみれば、それらは幸せとは関係のないものだということが、たちどころにわかります。毎日のようにパーティーを開いたり、ブランド物で着飾って遊んだりしている人たちの心の中を覗いてみると、見栄、傲慢、嫉妬、憎しみ、怒りなどで汚れ、本当は苦しんでいることがわかります。

一般的に「楽しみだ」と思われていることのすべてが、実はわれわれをだますからくりなのです。

財産があれば幸せ、家族がいれば幸せ、健康・長寿であれば幸せ、という人に一度尋ねてみたいのです。財産があると幸せというならば、財産のない人は不幸せですか。ジャングルの中で何の財産もなく暮らす人は不幸でしょうか。

家族を持たない人は不幸ですか、八十歳以上生きられない人は不幸でしょうか。

財産がなくとも、家族がなくとも、長生きできなくとも、幸せな人はたくさんいます。財産や長寿や遊びなどを幸せの基準にする考え方は、一種の差別です。なぜなら皆が平等には得られないものを基準に、人の幸不幸を勝手に判断しているからです。

結局のところ、幸せか不幸せかといったことは人間の主観に過ぎません。これまでも申し上げたとおり、人間の主観などは信用できません。それは欲で曇っているからです。

人間はいつまでたっても理解しようとしていないのですが、**幸せの本当の意味は、心の安らぎです。**心の安らぎとは何かといえば、心に悩み苦しみがなく、嫉妬、怒り、憎しみなどで心が病んでいない状態です。

モノがあることは幸せとは関係がありません。モノがあろうとなかろうと、心が病んでいれば、そこに幸せはありません。モノがなくても、心が病んでいなければ、幸せになることはできます。心の平安はモノと違って、誰かと競争して負かしたり、奪ったりする必要がありません。万人が平等に手にすることができます。世間一般の「幸せ」に対する考え方は差別的ですが、本当の幸せはまったく差別的でないのです。

人類は、幸せに対して盲目です。何も知らないのです。

せめてあなただけは、目覚めてください。そうすれば、幸せは、すぐ手に届くところにあることに気づくはずです。

おわりに

お釈迦様の教えを何に例えることができるのかと訊《き》かれたら、私はこう答えます。「コンビニもついている、信頼できるスーパーマーケット」です、と。

コンビニは24時間営業の、生活必需品が揃ったお店です。しかし、日用品だけを扱うコンビニだけでは人生は成り立ちません。もっとしっかりした品物、テレビ、ベッド、布団、洋服などはスーパーマーケットで買わなくてはいけない。ブッダの教えは、人生に必要なものをすべて教えています。明るく、よい人間関係を築いて毎日を幸福に生きる方法、それはコンビニセクションです。こころを完全に清らかにして、生きる苦しみを乗り越えて悟りに達する方法、それはスーパーマーケットセクションです。ニーズに応じて、人はどちらに行くか決めます。仏教は、人のニーズに応じる教えなのです。

お釈迦様が、人々に一方的に説法したことは一度もありません。無理に折伏《しゃくぶく》したことは一度もないのです。大量の人々が出家して、サンガという巨大組織が現れましたが、お釈迦様から、「あなた出家しなさい」と言ったことは一度もない。現代に至るまで、仏教を広げるために権力を使ったり、脅したり、武器に頼ったり、病院・学校をつくるなどのエサをまいたりしたことはなかったのです。仏教は、広めたものではなく、広がったものです。人々に信じさせたものではなく、人々が自分で理解したものなのです。

ではお釈迦様の説法は、どのようになされたのでしょうか。

人々には、さまざまな問題があります。人の問題には、当然個人差がある。子宝に恵まれない人には、それが問題です。家の伝統と財産を守れと厳しく父親に言われているが、自分では自分なりの生き方をしたいと思っている一人息子にとっては、父親の要求にどのように応じればよいのかが問題です。そうやって個人差はあっても、われわれには死ぬまで、次からと絶えず問題が起こります。ですから、「生きることが問題」なのです。生きるとは、問題にあたることです。あたりが的中したならば、成功といいます。あたったけれど自分が痛い目に遭ったら、失敗といいます。しかし、死ぬまで絶えず問題が起こり続ける。お釈迦様の説法とは、人々が自分の問題について尋ねたときの答えなのです。問題には個人差があるのに、お釈迦様の答えは時代を超えて万人に適用できるのです。これが仏教ということです。

人生に迷ったとき、壁にぶつかったとき、落ち着かないとき、不満を感じるとき、自信がなくなったとき、生きる意味が見えなくなったとき、退職してやることがなく退屈するとき、世の中の激しい波に追いつけないとき、より理解能力を深めたいとき、強い人間になりたいと思うとき、穏やかな心で明るく生きたいと思うとき、「いくらなんでも死は怖い。死後どうなるのか心配だ」と怖くなったとき、お釈迦様の教えにあたってみてください。

現代人が何か知りたい時は、インターネットでググれば見事にデータが取れます。お釈迦様の教えも同じです。「ググってみたら、いろいろあるものだなぁ」と、テキストの終わりになった頃、かすかにでも納得いってもらえれば、幸いに思います。

この本が私一人の力でできあがるはずもない、という事実は、あえて申し上げる必要もないと思います。本書を企画された成美堂出版編集部の松岡左知子さん、インタビューと原稿作成をされたライターの中島美奈さん、校正を手伝ってくれた日本テーラワーダ仏教協会の佐藤哲朗さん、また出版をしてくれた成美堂出版様の努力によって、この本が世に出たことを深く感謝いたします。

この本をお読みになったあなたに、誰よりも感謝しています。幸福でありますように。

アルボムッレ・スマナサーラ

本書は成美文庫のために書き下ろされたものです。

成美文庫

心がスーッとなる ブッダの言葉

著　者　アルボムッレ・スマナサーラ
発行者　深見悦司
発行所　成美堂出版
〒162-8445　東京都新宿区新小川町1-7
電話(03)5206-8151　FAX(03)5206-8159
印　刷　広研印刷株式会社

ISBN978-4-415-40088-4
落丁·乱丁などの不良本はお取り替えします
定価はカバーに表示してあります

マーフィー
言葉の力で人生は変わる
植西 聰
どんな逆境にも打ち勝つ力を与えてくれるマーフィー博士。彼の名言をもとに、幸福な人生を送るための秘訣を学ぼう。

般若心経 人生を変える「気づき」の言葉
藤原東演
ありのままの自分に気づくことが「般若の智慧」。怒らない。とらわれない。「ない」から始める新しい生き方上達帳！

般若心経 人生は必ずうまくいく！
公方俊良
釈迦はよく生きる技術として経を示した。人生は難しくないのだ。満たされない何かを見つけよう。幸福地図としての心経。

いい言葉は、いい人生をつくる
斎藤茂太
漱石からアインシュタインまで、とっておきの名言をもとに、生きかた上手のコツを伝授。心によく効く言葉の処方箋！

続・いい言葉は、いい人生をつくる
斎藤茂太
言葉の島が大きくなるほど、知恵の海岸線も長くなる。あなたの言葉の財産は十分ですか。大ベストセラー待望の続編！

心がスーッとなる 禅の言葉
高田明和
禅の言葉は「生きる知恵」の集大成、つぶやくだけで人生がうまくいく。暗く落ち込んだ心もスーッと軽くなります。